전체 대본으로 배우는

스크린 일본어회화

해설 김진아

길벗
이지:톡

이 책은 스크립트북과 워크북, 전 2권으로 구성되어 있습니다. 이 책은 워크북으로 전체 대본에서 뽑은 30장면을 집중 훈련할 수 있습니다.

워밍업! 오늘 배울 표현
오늘 배울 핵심 표현을
살짝 맛봅니다.
이 표현을 일본어로 말할 수
있는지 테스트해 보세요.

오늘 공부할 장면에 대한
간단한 설명입니다.

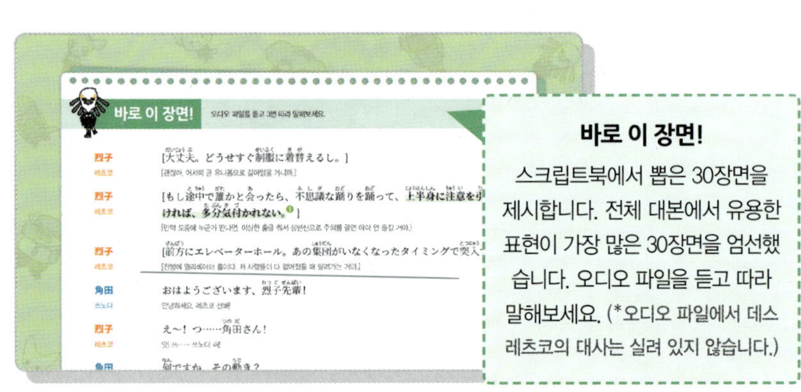

바로 이 장면!
스크립트북에서 뽑은 30장면을
제시합니다. 전체 대본에서 유용한
표현이 가장 많은 30장면을 엄선했
습니다. 오디오 파일을 듣고 따라
말해보세요. (*오디오 파일에서 데스
레츠코의 대사는 실려 있지 않습니다.)

장면 파헤치기

'바로 이 장면!'에서 뽑은 핵심 표현들을 친절한 설명과 유용한 예문을 통해 깊이 있게 알아봅니다.

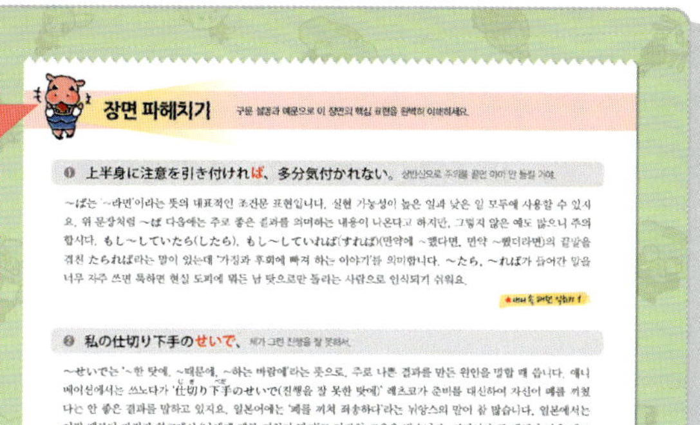

애니 속 패턴 익히기

애니에 나오는 패턴을 활용하여 다양한 표현을 만들 수 있습니다. 예문을 통해 패턴을 익히고 밑줄 부분에는 패턴을 활용하여 표현을 만들어보세요.

확인학습

오늘 배운 표현과 패턴을 확인해 보는 코너입니다. 문제를 풀며 표현들을 완벽히 내 것으로 만드세요.

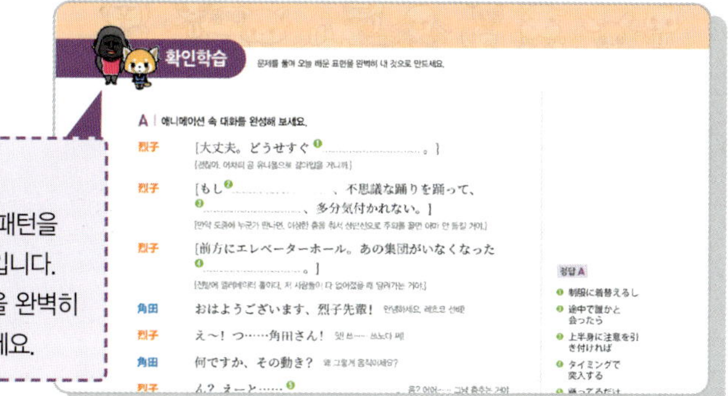

アグレッシブ烈子

烈子の忙しい朝

레츠코의 바쁜 아침

바쁘게 출근한 레츠코는 회사 앞에 와서야 자신이 샌들을 신고 왔다는 것을 알고 당황합니다. 창피 당하지 않기 위해 엘리베이터를 기다리는 직원들이 떠나면 바로 뛰어가서 탈 셈으로 홀에서 기회를 노리지요. 누가 보기라도 하면 이상한 춤을 춰서 상체 쪽으로 시선을 분산시키려는 작전까지 짜는 레츠코. 그런데 하필이면 귀여운 척, 착한 척만 하면서 약삭빠르게 구는 직장 동료 쓰노다와 딱 마주 치고 맙니다.

워밍업! 오늘 배울 표현 오늘 등장하는 표현들입니다. 어떤 표현이 들어가야 할지 생각해 보세요.

* 上半身に ＿＿＿＿＿＿＿＿＿、多分気付かれない。
  상반신으로 주의를 끌면 아마 안 들킬 거야.

* 私の仕切り下手の ＿＿＿＿＿＿＿＿＿、제가 그런 진행을 잘 못해서

* 先輩に全部 ＿＿＿＿＿＿＿＿＿ 形になっちゃって。 선배가 전부 해준 모양새가 돼서.

* ＿＿＿＿＿＿＿＿＿、うっかり間違えて…… 서둘러 집을 나오다가 깜박 실수하는 바람에……

烈子
레츠코
[大丈夫。どうせすぐ制服に着替えるし。]
[괜찮아. 어차피 곧 유니폼으로 갈아입을 거니까.]

烈子
레츠코
[もし途中で誰かと会ったら、不思議な踊りを踊って、上半身に注意を引き付ければ、多分気付かれない。❶]
[만약 도중에 누군가 만나면, 이상한 춤을 춰서 상반신으로 주의를 끌면 아마 안 들킬 거야.]

烈子
레츠코
[前方にエレベーターホール。あの集団がいなくなったタイミングで突入する。]
[전방에 엘리베이터 홀이다. 저 사람들이 다 없어졌을 때 달려가는 거야.]

角田
쓰노다
おはようございます、烈子先輩!
안녕하세요, 레츠코 선배!

烈子
레츠코
え〜! つ……角田さん!
앗! 쓰…… 쓰노다 씨!

角田
쓰노다
何ですか、その動き?
왜 그렇게 움직이세요?

烈子
레츠코
ん? えーと……踊ってるだけ。
응? 어어…… 그냥 춤추는 거야.

角田
쓰노다
金曜の飲み会の幹事の件、ありがとうございました〜。私の仕切り下手のせいで、❷ 先輩に全部やっていただく形になっちゃって。❸
금요일 회식 때 간사 해주셔서 감사했어요. 제가 그런 진행을 잘 못해서, 선배가 전부 해준 모양새가 돼서.

角田
쓰노다
思ったんですよ、烈子先輩って……。
그런 생각이 들더라고요. 레츠코 선배는…….

角田
쓰노다
……。
…….

烈子
레츠코
……。
…….

角田
쓰노다
優しくて素敵な人だなあって!
친절하고 대단한 사람인 것 같다고요!

烈子
레츠코
[スルーかよ!]
[지금 일부러 못 본 척했어!]

烈子
레츠코
ああ、えっと、このサンダル? バカだよね、私! 今朝、慌てて家出たから、うっかり間違えて……❹ん? あれ?
아, 그러니까, 이 샌들 말이지? 나도 참 바보 같지 뭐야! 아침에 서둘러 집을 나오느라 깜박 실수하는 바람에…… 응? 어어?

장면 파헤치기

구문 설명과 예문으로 이 장면의 핵심 표현을 완벽히 이해하세요.

❶ 上半身に注意を引き付ければ、多分気付かれない。 상반신으로 주의를 끌면 아마 안 들킬 거야.

〜ば는 '〜라면'이라는 뜻의 대표적인 조건문 표현입니다. 실현 가능성이 높은 일과 낮은 일 모두에 사용할 수 있지요. 위 문장처럼 〜ば 다음에는 주로 좋은 결과를 의미하는 내용이 나온다고 하지만, 그렇지 않은 예도 많으니 주의합시다. もし〜していたら(したら), もし〜していれば(すれば)(만약에 〜했다면, 만약 〜했더라면)의 끝말을 겹친 たられば라는 말이 있는데 '가정과 후회에 빠져 하는 이야기'를 의미합니다. 〜たら, 〜れば가 들어간 말을 너무 자주 쓰면 툭하면 현실 도피에 뭐든 남 탓으로만 돌리는 사람으로 인식되기 쉬워요.

★ 애니 속 패턴 익히기 1

❷ 私の仕切り下手のせいで、 제가 그런 진행을 잘 못해서,

〜せいで는 '〜한 탓에, 〜때문에, 〜하는 바람에'라는 뜻으로, 주로 나쁜 결과를 만든 원인을 말할 때 씁니다. 애니메이션에서는 쓰노다가 '仕切り下手のせいで(진행을 잘 못한 탓에)' 레츠코가 준비를 대신하여 자신이 폐를 끼쳤다는 안 좋은 결과를 말하고 있지요. 일본어에는 '폐를 끼쳐 죄송하다'라는 뉘앙스의 말이 참 많습니다. 일본에서는 어릴 때부터 가정과 학교에서 '남에게 폐를 끼치지 말라'고 단단히 교육을 받습니다. 지진이나 큰 재해가 났을 때도 질서정연하게 규칙을 지키는 행동에 바로 이런 교육 사상이 깔린 것이지요. 남에 대한 배려를 잊지 않는 정신은 미덕이기도 하지만, 항상 주변 분위기에 획일적으로 맞춰야 한다는 압박감 때문에 본심을 드러내지 못하고 속으로 스트레스가 쌓인다는 단점도 있습니다.

* A：なんだか顔色が悪いね。 어쩐지 안색이 안 좋네.
  B：昨日の夜、友達と飲みすぎたせいで頭が痛いよ。 어젯밤에 친구랑 술을 너무 많이 마셔서 머리가 아파.

❸ 先輩に全部やっていただく形になっちゃって。 선배가 전부 해준 모양새가 돼서.

いただく는 '〜해주시다'라는 뜻으로, 공손함을 나타내는 경어 표현입니다. 상대에 대한 존경을 드러내는 유용한 표현으로, 일상생활에서 자주 쓰이지요. 쉽게 설명하자면, '(나한테 〜을 해주는) 누군가'에게 경의를 표하는 것입니다. 주로 [동사+いただく]의 패턴으로 쓰이는데, '나한테 〜을 해주는 누군가'에 조사 に가 붙는다는 사실을 꼭 기억해 둡시다. 더 자세히 풀어보자면 先輩に全部やっていただく라는 말에서는 주어인 私가 생략됐고, いただく가 나오는 표현에서는 私라는 말을 거의 하지 않는답니다. 참고로 〜ちゃう는 〜してしまう가 구어적으로 변한 것으로 후회, 아쉬움, 미안함을 나타냅니다.

★ 애니 속 패턴 익히기 2

❹ 慌てて家出たからうっかり間違えて…… 아침에 서둘러 집을 나오느라 깜박 실수하는 바람에……

〜から는 '〜때문에'라는 뜻인데, 어떤 일이 발생한 이유나 판단 근거를 설명할 때 사용합니다. 이 장면에서는 '서둘러 집을 나갔기 때문에' 신발을 제대로 못 신었다는 의미로 사용됐지요. 같은 의미의 〜ので는 〜から보다 좀 더 공식적인 뉘앙스로 쓰입니다. 또한 명령문이나 금지문 등에서는 〜ので보다 〜から를 쓰는 경우가 더 많지요.

* さっきお店に寄って食べてきたから、食事は要りません。 아까 가게에 들러 먹고 왔으니까 식사는 안 해도 돼요.
* この本はとっても面白いから、読んだほうがいいと思うよ。 이 책은 참 재미있으니까 읽어보는 게 좋을 거야.

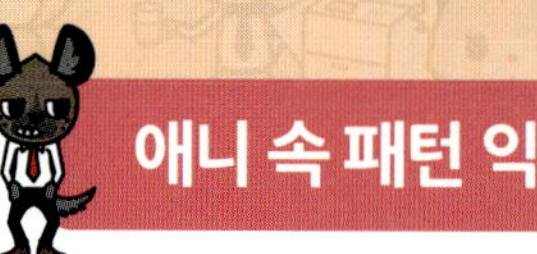

오늘 배운 장면에서 뽑은 핵심 패턴으로 다양한 표현을 만들어보세요.

🎧 01-2.mp3

❶ 동사 + ば　　　　　　　　　　　　　　　　　　　　　　~한다면

1　100億円**当たれば**、海外で暮らすつもりです。　100억 엔에 당첨되면 해외에서 살 생각이랍니다.

2　毎日**頑張れば**、日本語が上手になります。　매일 노력하면 일본어를 잘하게 될 거예요.

3　この道に _________________、すぐ駅が見えます。　이 길로 나가면 바로 역이 보입니다.

4　これを _________________絶対に次の試験に合格すると思います。

이걸 외우면 분명 다음 시험에 합격할 거예요.

5　明日の朝10時までに彼女が _________________私たちも行こうと決めた。

내일 아침 10시까지 그녀가 도착하면 우리도 가기로 했다.

❷ 동사 + いただく　　　　　　　　　　　(어떤 부탁이나 요청으로) ~해주시다

1　卒業前に教授に推薦状を**書いていただきました**。　졸업 전에 교수님께서 (부탁드렸던) 추천서를 써주셨습니다.

2　初めての海外旅行なので、ガイドさんに**案内していただいた**。

첫 해외여행이어서 (부탁을 받은) 가이드님이 안내해 주셨다.

3　携帯を持ってなかったので、先生に代わりに _________________。

핸드폰을 갖고 있지 않아서 (부탁했더니) 선생님께서 대신 연락해 주셨다.

4　間違っていたら、彼に _________________予定なの。

틀렸다면 (부탁드렸으니) 그가 정정해 주실 예정이야.

5　あとで詳しいことを担当者に _________________。

(부탁을 드렸더니) 나중에 자세한 사항을 담당자님이 말씀해 주셨습니다.

문제를 풀며 오늘 배운 표현을 완벽히 내 것으로 만드세요.

A | 애니메이션 속 대화를 완성해 보세요.

烈子　[大丈夫。どうせすぐ ❶ _______________。]
[괜찮아. 어차피 곧 유니폼으로 갈아입을 거니까.]

烈子　[もし ❷ _______________、不思議な踊りを踊って、
❸ _______________、多分気付かれない。]
[만약 도중에 누군가 만나면, 이상한 춤을 춰서 상반신으로 주의를 끌면 아마 안 들킬 거야.]

烈子　[前方にエレベーターホール。あの集団がいなくなった
❹ _______________。]
[전방에 엘리베이터 홀이다. 저 사람들이 다 없어졌을 때 달려가는 거야.]

角田　おはようございます、烈子先輩！　안녕하세요, 레츠코 선배!

烈子　え～！つ……角田さん！　앗! 쓰…… 쓰노다 씨!

角田　何ですか、その動き？　왜 그렇게 움직이세요?

烈子　ん？えーと…… ❺ _______________。응? 어어…… 그냥 춤추는 거야.

B | 다음 빈칸을 채워 문장을 완성해 보세요.

1　100억 엔에 당첨되면 해외에서 살 생각이랍니다.

100億円 _______________、海外で暮らすつもりです。

2　매일 노력하면 일본어를 잘하게 될 거예요.

毎日 _______________、日本語が上手になります。

3　졸업 전에 교수님께서 추천서를 써주셨습니다.

卒業前に教授に推薦状を _______________。

4　첫 해외여행이어서 가이드님이 안내해 주셨다.

初めての海外旅行なので、ガイドさんに _______________。

5　나중에 자세한 사항을 담당자님이 말씀해 주셨습니다.

あとで詳しいことを担当者に _______________。

経理部のオフィス、本当の戦場

경리부 사무실, 진짜 전쟁터

황돈 부장의 주변을 정리하는 당번임을 잊은 레츠코는 한바탕 수모를 당합니다. 황돈 부장 앞에서는 참았지만 결국 분노가 터진 레츠코는 화장실에서 상사의 부당함을 고발하는 거친 데스메탈 노래를 부릅니다. 다시 원래의 고분고분한 회사원 모습으로 돌아와 착실하게 일하는 레츠코. 그런데 옆자리 에 앉아 평소보다 더 빈정대는 목소리로 말을 거는 페네코의 태도가 심상치 않습니다.

워밍업! 오늘 배울 표현   오늘 등장하는 표현들입니다. 어떤 표현이 들어가야 할지 생각해 보세요.

* 何　　　　　　　　　　　　　　　。　무슨 소리야.

* 仕事と　　　　　　　　　　　　　　　。　일이랑 전혀 관계없잖아.

* 上司なんて　　　　　　　　　　　　……。　상사한테 적당히 아부해야…….

* ハイ田は　　　　　　　　　　　。　하이다는 아부가 지나쳐.

フェネ子
페네코

烈子は偉いよ。
레츠코는 대단해.

烈子
레츠코

えっ？
응?

フェネ子
페네코

私だったらあの場でトン部長にブチ切れてる。
나였으면 그 자리에서 황돈 부장한테 엄청 화냈을 거야.

烈子
레츠코

ああ……でもぼけっとしてた私も悪かったし。
아아……, 하지만 멍하니 있었던 나도 잘못했고.

フェネ子
페네코

何言ってんの。❶ あいつの身の回りの世話とか、仕事と全く関係ないじゃん。❷ あれって、パワハラでクビとかに出来ないの？
무슨 소리야. 그 녀석 주변에서 잡다하게 시중드는 건 일이랑 전혀 관계없잖아. 그런 건 권력 남용으로 잘릴 수 없나?

ハイ田
하이다

「申し訳ございません。指導を熱心にしすぎました」とか誤魔化されて良くて左遷ってとこじゃねえの？ 訴えたほうにだってリスクはあるし、そう簡単にはいかねえよ。
'정말 죄송합니다. 너무 과하게 지도한 탓입니다' 같은 말로 넘어가서 그래 봤자 좌천이겠지. 신고한 쪽도 위험한 건 마찬가지고. 간단한 문제가 아니야.

フェネ子
페네코

ネットで仕入れた知識乙。
인터넷으로 얻은 지식이네. 수고했어.

ハイ田
하이다

わ……悪いかよ。でも、そもそも仕事なんて理不尽なもんだろ？ 上司なんて適当におだてときゃ……。❸
그, 그게 어때서? 하지만 원래 일이란 게 불합리한 거잖아? 상사한테 적당히 아부해야…….

フェネ子
페네코

ハイ田は上に媚びすぎ。❹
하이다는 아부가 지나쳐.

ハイ田
하이다

はあ？ 合理的な処世術だろ。
뭐? 합리적인 처세술이라고.

❶ 何言っ てんの。 무슨 소리야.

일상 회화에서 구어체로 자주 사용되는 ～ん은 이 장면처럼 ～ているの의 いる를 ん으로 축약하여 활용할 수 있습니다. 비슷한 예로 ～ているのでしょう를 ～てんでしょ로, ～ているのだろう를 ～てんだろ로 말할 수 있지요. 그리고 문장 끝에 종조사 の를 붙여 ～んの라고 말하면 이유 등을 묻는 뉘앙스가 된다는 점도 함께 알아두면 회화의 폭이 더욱 넓어질 거예요.

* 一人で何食べ てんの？ 혼자서 뭐 먹고 있어?

* ここで何やっ てんの？ 여기서 뭐 하고 있어?

❷ 仕事と全く関係ない じゃん。 일이랑 전혀 관계없잖아.

시험에는 나오지 않지만, 드라마와 애니메이션을 포함해 일상 회화에서 흔히 쓰이는 표현 ～じゃん은 ～じゃない의 구어체입니다. 주로 듣는 사람이 모르는 것이나 생각지도 못한 것을 지적하는 뜻으로 사용되지요. 이때 ～じゃん이 들어간 부분을 내려서 발음하는 게 중요합니다. 만약 じゃん？ 하고 끌어올려 말하면 확인하려는 뉘앙스를 풍기게 됩니다. ～じゃない가 부정의 형태를 취하고 있으나 부정의 의미는 전혀 없다는 점도 명심하세요. ～じゃん은 주로 간토(関東) 지역에서 사용하며, 다소 편하게 반말을 쓰는 느낌이 있어서 젊은 사람들이 사용하는 편입니다.

* A：もうすぐ40なのに、まだ結婚しないの？ 이제 곧 마흔인데 결혼 안 해?
  B：あなたには関係ない じゃん。 너하곤 상관없잖아.

❸ 上司 なんて 適当におだてときゃ……。 상사한테 적당히 아부해야……

～なんて는 '～따위, ～같은 것'이라는 뜻으로, 일상 대화에서 매우 자주 나오는 표현입니다. 명사 뒤에 ～なんて를 쓰면 '～따위 하찮은 일이다, 시시하다'라는 부정적인 뉘앙스를 드러낼 수 있지요. 또한 문장 후반부에 써서 놀라움, 분노, 슬픔, 경시, 의외 등의 감정을 드러낼 때도 있습니다. 예를 들어, 飼い猫を捨てるなんてひどい(키우던 고양이를 버리다니 너무해)처럼 말이지요. 이럴 때 ～なんて의 뒤를 생략하여 飼い猫を捨てるなんて…라고 말할 수도 있답니다.

❹ 上に媚び すぎ。 아부가 지나쳐.

～すぎる는 '(태도 등이) 지나치게 ～하다, 너무 심하게 ～하다'라는 의미입니다. 여기서는 동사 뒤에 붙어서 동사를 명사 표현처럼 만드는 명사형 접미사의 역할을 하지요. 즉 [媚びる＋すぎ]의 결합으로 媚びすぎ는 '지나치게 알랑거림, 너무 아부를 떨어댐'이라는 뜻이 됩니다. 긍정적인 뜻을 가진 단어도 ～すぎ와 결합하면 부정적인 의미를 드러낼 때가 많답니다. 같은 의미로 [동사＋すぎる] 형태로 동사형 접미사의 쓰임새도 있습니다. 예를 들어 食べ過ぎて気持ち悪い(너무 많이 먹어서 속이 안 좋다)처럼 말이지요.

🎧 02-2.mp3

❶ 명사·동사·형용사 ＋ なんて

~같은 건, ~따위

1 **貧乏なんて**気にしない。 가난 같은 거 신경 쓰지 않아.

2 **成績なんて**どうでもいい。 성적 같은 건 아무래도 좋아.

3 いきなり ＿＿＿＿＿＿＿＿＿＿＿＿＿＿、ひどいじゃないか！ 갑자기 때리다니, 너무하잖아!

4 彼があんなひどいことを ＿＿＿＿＿＿＿＿＿＿＿＿＿、正直ショックだった。
그가 그런 심한 말을 하다니 솔직히 충격이었다.

5 まだ夏が始まったばっかりなのにこんなに ＿＿＿＿＿＿＿＿＿＿＿＿。
이제 여름이 시작됐는데 이렇게 덥다니.

❷ 동사 ＋ すぎ (명사형 접미사)

지나치게 ~함

동사 ＋ すぎる (동사형 접미사)

지나치게 ~하다

1 今朝の二日酔いの原因はお酒の**飲みすぎ**であるということは明白だ。
오늘 아침의 숙취 원인은 술을 너무 많이 마셔서 그런 것임은 명백하다.

2 彼はものを**考えすぎる**性格です。 그는 생각이 너무 많은 성격이에요.

3 ＿＿＿＿＿＿＿＿＿＿＿＿と、体も心も疲れます。 일을 너무 많이 하면 몸도 마음도 피곤해요.

4 運動を ＿＿＿＿＿＿＿＿＿＿＿＿足を痛めた。 운동을 심하게 해서 다리를 다쳤다.

5 最近 ＿＿＿＿＿＿＿＿＿＿＿＿だったから、成績が落ちても仕方がない。
최근에 너무 놀았기 때문에 성적이 떨어져도 어쩔 수 없다.

정답 ❶ 3 殴るなんて 4 言うなんて 5 暑いなんて ❷ 3 働きすぎる 4 やりすぎて 5 遊びすぎ

문제를 풀며 오늘 배운 표현을 완벽히 내 것으로 만드세요.

A | 애니메이션 속 대화를 완성해 보세요.

フェネ子　烈子は偉いよ。 레츠코는 대단해.

烈子　えっ？ 응?

フェネ子　私だったらあの場でトン部長に ❶____________________。
나였으면 그 자리에서 황돈 부장한테 엄청 화냈을 거야.

烈子　ああ……でもぼけっとしてた ❷____________________。
아아……, 하지만 멍하니 있었던 나도 잘못했고.

フェネ子　❸____________________。 あいつの身の回りの世話とか、仕事と全く関係ないじゃん。 あれって、パワハラで ❹____________________？
무슨 소리야. 그 녀석 주변에서 잡다하게 시중드는 건 일이랑 전혀 관계없잖아. 그런 건 권력 남용으로 잘릴 수 없나?

ハイ田　「申し訳ございません。指導を熱心にしすぎました」とか誤魔化されて良くて左遷ってとこじゃねえの？ 訴えたほうにだってリスクはあるし、 ❺____________________。
'정말 죄송합니다. 너무 과하게 지도한 탓입니다' 같은 말로 넘어가서 그래 봤자 좌천이겠지. 신고한 쪽도 위험한 건 마찬가지고, 간단한 문제가 아니야.

B | 다음 빈칸을 채워 문장을 완성해 보세요.

1　가난 같은 거 신경 쓰지 않아.

____________________ 気にしない。

2　성적 같은 건 아무래도 좋아.

____________________ どうでもいい。

3　오늘 아침의 숙취 원인은 술을 너무 많이 마셔서 그런 것임은 명백하다.

今朝の二日酔いの原因はお酒の ____________________ であるということは明白だ。

4　그는 생각이 너무 많은 성격이에요.

彼はものを ____________________ 性格です。

5　최근에 너무 놀았기 때문에 성적이 떨어져도 어쩔 수 없다.

最近 ____________________ だったから、成績が落ちても仕方がない。

정답 A

❶ ブチ切れてる
❷ 私も悪かったし
❸ 何言ってんの
❹ クビとかに出来ないの
❺ そう簡単にはいかねえよ

정답 B

1 貧乏なんて
2 成績なんて
3 飲みすぎ
4 考えすぎる
5 遊びすぎ

終わらない残業

끝나지 않는 야근

열심히 일하고 휴게실에서 직장 동료인 페네코, 하이다와 담소를 나누고 돌아온 레츠코. 한편 쓰노다는 황돈 부장에게 애교를 부리며 제출이 늦어진 서류를 떠넘깁니다. 다시 일하러 사무실로 돌아온 레츠코를 본 황돈은 쓰노다가 준 서류까지 포함해 일감을 잔뜩 떠맡겨 버립니다. 결국 직원들이 모두 퇴근하고 밤 10시가 될 때까지 죽도록 일을 하던 레츠코는 잠시 휴식을 취하기로 합니다.

 **워밍업!** 오늘 배울 표현 　오늘 등장하는 표현들입니다. 어떤 표현이 들어가야 할지 생각해 보세요.

* 暇　　　　　　　　　　　　　　　　。 한가한 모양이네.

* まだ　　　　　　　　　　　　　　　？ 아직도 못 갔어?

* 保育園に子供　　　　　　　　　　　　だから！ 보육원에 아이 데리러 가야 하니까!

* 何か　　　　　　　　　　　　　　　。 뭐라도 마실까.

角田
すみません、提出が遅れちゃって～。
쓰노다
죄송해요. 제출이 늦어서.

トン
心配すんな。俺がちゃんとやっといてやるよっと。
황돈
걱정하지 마. 내가 제대로 해놓을 테니까.

ハイ田
うしっ、そろそろ行くか。
하이다
좋아, 슬슬 가볼까?

烈子
行こうか。
레츠코
가자.

トン
暇そうだな。❶ これ、処理しとけ。
황돈
한가한 모양이네. 이거 처리해 둬.

烈子
……。
레츠코
…….

トン
じゃあ、頼むわ。
황돈
그럼 부탁한다.

ハイ田
手伝おっか？
하이다
도와줄까?

烈子
大丈夫。
레츠코
괜찮아.

フェネ子
烈子は偉いなあ。
페네코
레츠코는 대단하네.

カバ恵
あっら～**まだ帰れないの？**❷ 大変ね。
가바에
어머, 아직도 못 갔어? 안됐다.

烈子
アハハ……。
레츠코
하하…….

カバ恵
じゃあ、私、**保育園に子供迎えに行かなきゃだから！**❸ バッハハーイ！
가바에
그럼, 나는 보육원에 아이 데리러 가야 하니까! 먼저 갈게!

烈子
お疲れ様です。
레츠코
수고하셨습니다.

烈子
ハア……**何か飲もっかな。**❹
레츠코
후우……, 뭐라도 마실까.

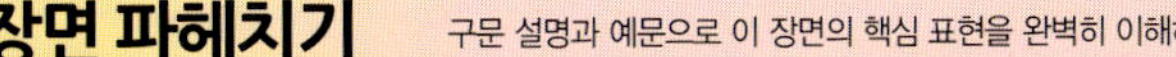

❶ 暇そうだな。 한가한 모양이네.

～そうは '(～을 보고) ～인 것처럼 느껴진다, ～인 것 같다'라는 뜻으로, 말하는 사람이 어떤 것을 보고 느낀 것이나 현재 상태를 말할 때 사용합니다. 주로 형용사와 함께 쓰이는 표현이지만 可愛(かわい)い, 高(たか)い, きれい 등 바로 보고 알 수 있는 형용사와는 사용할 수 없답니다. 또한 いい나 ない와 쓸 때는 주의가 필요해요. いい+そう=よさそうで로, ない+そう=なさそう로 써야 한다는 점을 꼭 기억하세요.

★ 배내 속 패턴 익히기 1

❷ まだ帰れないの？ 아직도 못 갔어?

～れる/られるは 수동, 존경, 가능, 자발 등 여러 가지 뜻을 내포한 조동사 표현입니다. 이 장면에 나오는 帰(かえ)れる(돌아갈 수 있다)는 帰る(돌아가다)의 '가능' 표현이지요. 또 다른 예로 言(い)う(말하다)는 言(い)える(말할 수 있다), 読(よ)む(읽다)는 読(よ)める(읽을 수 있다)로 가능형을 만들 수 있습니다. 조금 다른 예를 들자면 見(み)る의 가능형은 見(み)られる 또는 見(み)れる이고, 食(た)べる(먹다)는 食(た)べられる 또는 食(た)べれる, 来(く)る(오다)는 来(こ)られる 또는 来(こ)れる로 만듭니다. 예외적으로 する(하다)의 가능형은 できる라는 점을 기억해 두세요.

★ 배내 속 패턴 익히기 2

❸ 保育園に子供迎えに行かなきゃだから！ 보육원에 아이 데리러 가야 하니까!

～なきゃは '～하지 않으면 안 된다, ～해야 한다'라는 뜻입니다. 이 장면에서 등장한 行かなきゃ는 行かなければいけない의 구어체이지요. ～なきゃ는 ～なければ와 같은 뜻이고, 후반부의 いけない는 생략될 때가 많습니다. 예를 들어 絶対(ぜったい)に勝(か)たなきゃ！ = 絶対(ぜったい)に勝(か)たなければ！(반드시 이겨야 해!)처럼 말이지요. 그리고 ～なきゃ와 같은 뜻을 가진 또 다른 구어체로 ～なけりゃ도 흔히 들을 수 있는 표현입니다.

* 会議(かいぎ)に遅刻(ちこく)しちゃうと大変(たいへん)だから、走(はし)って行(い)かなきゃ。 회의에 지각하면 큰일이니까 뛰어가야 해.
* 今日(きょう)はお客(きゃく)さんが来(く)る予定(よてい)なんだから、部屋(へや)の掃除(そうじ)をしなきゃ。
  오늘은 손님이 올 예정이니까 방 청소를 해야 해.

❹ 何か飲もっかな。 뭐라도 마실까.

飲(の)もっかなは飲(の)もうという 의지형 표현과 ～かな의 조합으로 만들어진 말입니다. 여기서 ～ようは '～을 할 생각이다'라는 뜻으로, 말하는 사람의 의지를 드러내는 표현이지요. ～かな는 의지를 드러내는 표현과 자주 같이 쓰여서 '～할지 말지 아직 정하지 않았다'라는 뜻이랍니다. 일상 회화에서는 '어떤 일을 할 의지가 있긴 한데, (상황을 봐서) 할까 말까 정해야겠다'라는 뉘앙스로 활용하면 좋아요.

* A：会社(かいしゃ)近(ちか)くにラーメン屋(や)があるんだけど、あそこのラーメンは美味(おい)しいよ。
  회사 근처에 라멘 가게가 있는데 거기 라멘이 맛있어.
  B：そう？　じゃあ、あとで行(い)ってみよっかな。 그래? 그럼 나중에 가볼까.

오늘 배운 장면에서 뽑은 핵심 패턴으로 다양한 표현을 만들어보세요.

🎧 03-2.mp3

❶ 동사·형용사 + そう　　　　　　　　　　　　　　　　〜인 것 같다

1　あっちのテーブルのケーキは、とっても**美味しそうだ**。
저 테이블에 있는 케이크는 참 맛있어 보인다.

2　おばあさんは、怪我が治ったので**嬉しそうだ**。
할머니는 다친 곳이 다 나아서 기뻐 보이신다.

3　みんな欠伸をしながら映画を見ていて、とても ＿＿＿＿＿＿＿＿＿ です。
모두 하품을 하며 영화를 보고 있어 매우 따분해 보입니다.

4　その子は、私が持っている風船を ＿＿＿＿＿＿＿＿＿ 見ています。
그 애는 내가 가지고 있는 풍선을 갖고 싶은 듯 보고 있습니다.

5　会社が倒産したので、彼にはもう ＿＿＿＿＿＿＿＿＿ だった。
회사가 도산해서 그는 이제 돈이 없는 것 같았다.

❷ 동사 + れる/られる　　　　　　　　　　　　　　　　〜할 수 있다

1　この服はボロボロだけど、まだ**着られる**と思う。 이 옷은 낡았지만 아직 입을 수 있을 것 같다.

2　他に車を**停められる**所を探してみよう。 그 외에 차를 세울 수 있는 곳을 찾아보자.

3　この世に ＿＿＿＿＿＿＿＿＿ 試練なんかない。 이 세상에 극복하지 못하는 시련은 없다.

4　外が嵐で騒がしくてとても ＿＿＿＿＿＿＿＿＿ 。 바깥이 폭풍으로 시끄러워서 도무지 잠을 잘 수 없다.

5　このレシピさえ知っていれば、色んなケーキを簡単に ＿＿＿＿＿＿＿＿＿ 。
이 레시피만 알고 있으면 여러 가지 케이크를 간단히 만들 수 있습니다.

정답　❶ 3つまらなそう　4欲しそうに　5お金がなさそう　❷ 3乗り越えられない　4眠れない　5作れます

문제를 풀며 오늘 배운 표현을 완벽히 내 것으로 만드세요.

A | 애니메이션 속 대화를 완성해 보세요.

角田　すみません、❶＿＿＿＿＿＿＿＿＿＿〜。 죄송해요. 제출이 늦어서.

トン　❷＿＿＿＿＿＿＿＿＿＿。 俺がちゃんとやっといてやるよっと。
걱정하지 마. 내가 제대로 해놓을 테니까.

ハイ田　うしっ、❸＿＿＿＿＿＿＿＿＿＿。 좋아, 슬슬 가볼까?

烈子　行こうか。 가자.

トン　暇そうだな。これ、❹＿＿＿＿＿＿＿＿＿。
한가한 모양이네. 이거 처리해 둬.

烈子　……。 …….

トン　じゃあ、頼むわ。 그럼 부탁한다.

ハイ田　❺＿＿＿＿＿＿＿＿？ 도와줄까?

B | 다음 빈칸을 채워 문장을 완성해 보세요.

1 저 테이블에 있는 케이크는 참 맛있어 보인다.

あっちのテーブルのケーキは、とっても ＿＿＿＿＿＿＿＿＿＿。

2 할머니는 다친 곳이 다 나아서 기뻐 보이신다.

おばあさんは、怪我が治ったので ＿＿＿＿＿＿＿＿＿＿。

3 이 옷은 낡았지만 아직 입을 수 있을 것 같다.

この服はボロボロだけど、まだ ＿＿＿＿＿＿＿＿＿＿ と思う。

4 그 외에 차를 세울 수 있는 곳을 찾아보자.

他に車を ＿＿＿＿＿＿＿＿＿＿ 所を探してみよう。

5 이 레시피만 알고 있으면 여러 가지 케이크를 간단히 만들 수 있습니다.

このレシピさえ知っていれば、色んなケーキを簡単に

＿＿＿＿＿＿＿＿＿＿。

真面目でいい子はつらい

성실하고 착한 사람은 괴로워

옷 가게에서 점원의 과한 친절에 압박감을 느껴 결국 양말 세 켤레를 사고 만 레츠코. 손님이 부담스러워해도 굴하지 않고 거의 강압적으로 포인트 카드를 만들게 하고, 포인트 행사 중임을 강조하는 점원 때문에 레츠코는 난감합니다. 소심한 레츠코는 단호하게 거절하지 못하고, 무언의 압박을 느껴 결국 카드 신청서를 받아 든 순간! 뒤에서 단호하게 카드 필요 없다고 말하는 레츠코의 오랜 친구 푸코가 나타납니다.

워밍업! 오늘 배울 표현   오늘 등장하는 표현들입니다. 어떤 표현이 들어가야 할지 생각해 보세요.

* ＿＿＿＿＿＿＿＿＿＿＿セットのみのお買い上げで1080円になりまーす。
  양말 세 켤레 세트만 사셔서 1080엔입니다.

* ＿＿＿＿＿＿＿＿＿な。 귀찮네.

* ＿＿＿＿＿＿＿＿＿です。 됐어요.

* こちらの記入欄に＿＿＿＿＿＿＿＿＿＿と、携帯のメールアドレスを＿＿＿＿＿＿＿＿＿頂いて。 여기 기입란에 성함과 이메일 주소를 적어주시고.

店員	靴下３足セットのみのお買い上げで1080円になりまーす。❶
점원	양말 세 켤레 세트만 사셔서 1080엔입니다.

店員	ポイントカードお持ちですかー？
점원	포인트 카드 갖고 계세요?

烈子	あ……いえ……。
레츠코	아……. 아니요…….

店員	ただいまポイント２倍キャンペーン中なのでお得ですよー。
점원	지금 포인트 2배 행사 중이라 정말 이득이에요.

烈子	えっと……あの……。
레츠코	으음……. 저…….

烈子	[めんどくさいな。❷ 次いつ来るか分かんないしな。]
레츠코	[귀찮네. 다음에 언제 올지도 모르는데.]

店員	お作りしますかー？
점원	만들어드릴까요?

烈子	あの……け……結構です。❸
레츠코	저어……, 돼, 됐어요.

店員	はい？
점원	네?

店員	お作りしますかー？
점원	만들어드릴까요?

烈子	ああ……じゃあ……。
레츠코	아……, 그럼…….

店員	かしこまりましたー。
점원	알겠습니다!

店員	それではこちらの記入欄にお名前と、携帯のメールアドレスをご記入頂いて。❹
점원	그럼 여기 기입란에 성함과 이메일 주소를 적어주시고.

プー子	カードいりませーん。
푸코	카드 필요 없어요.

烈子	えっ？
레츠코	어?

❶ 靴下３足セットのみのお買い上げで1080円になりまーす。 양말 세 컬레 세트만 사셔서 1080엔입니다.

양말을 세는 단위로 '컬레'를 뜻하는 足가 있습니다. 양말뿐 아니라 신발 등을 셀 때도 사용합니다. 이렇게 물건을 셀 때는 그 물건의 형태나 성질의 특징이 잘 드러나는 단위가 사용된다는 사실에 주목하세요. 예를 들어, 종이나 옷처럼 얄팍한 물건을 셀 때는 枚를, 연필이나 우산, 열차 등 가늘고 기다란 것은 주로 本을 단위로 사용한답니다.

* A：この白のソックスはいくらですか？ 이 흰 양말은 얼마인가요?
　 B：一足 125円になります。 한 컬레에 125엔입니다.

❷ めんどくさいな。 귀찮네.

～くさい는 '매우 ～하다'라는 뜻을 표현할 때 사용합니다. 함께 결합하는 명사나 형용사의 뜻을 강조하며, 주로 부정적인 의미로 쓰이는 경우가 많습니다. ～くさい를 '마치 ～와 같은 느낌'이라는 뜻으로 쓸 때도 있어요. 예를 들어 うそくさい(거짓말 같은), 田舎くさい(시골뜨기처럼 촌스러운) 같은 형태로 쓰입니다. 이 역시 부정적인 의미로 쓸 때가 많으니 ～くさい를 사용한 미묘한 의미 차이를 알아두면 좋습니다.

★ 메니 속 패턴 익히기 1

❸ 結構です。 됐어요.

結構です는 남에게 어떤 제안을 받았을 때 '이제 충분하고 만족스럽다. 그러니 더는 필요 없다'라는 거절의 뜻을 드러내는 표현입니다. 그래서 結構です나 もう結構です와 같이 사용하니 이를 일상생활에서 잘 활용해 보세요. 또 다른 표현으로는 構いません도 있습니다. 이는 '딱히 별 문제나 불편함은 없으니 괜찮다'라는 뉘앙스로 쓰여 의미에 차이가 있다는 점도 알아둡시다.

* A：苺ケーキ、もう一個いかがですか？ 딸기 케이크 하나 더 어떠세요?
　 B：十分いただいたので、もう結構です。 충분히 먹었으니 이제 됐습니다.
* A：明日お訪ねしてもよろしいでしょうか？ 내일 찾아뵈어도 될까요?
　 B：構いません。 네, 괜찮아요.

❹ こちらの記入欄にお名前と、携帯のメールアドレスをご記入頂いて。
여기 기입란에 성함과 이메일 주소를 적어주시고.

단어 앞에 お나 ご를 붙이면 존경과 겸양의 뜻을 나타냅니다. 그럼 언제 お를, 언제 ご를 붙여야 할까요? 일반적으로 일본어로 읽는 단어(和語, 일본 고유의 말)에는 お를 붙여서 お名前(성함), お話(말씀) 등으로 사용합니다. 반면에 한자어 음독으로 읽는 단어에는 ご를 붙여서 ご記入(기입), ご感想(감상) 등으로 사용하지요. 주로 이 원칙을 따르지만 당연히 예외도 존재합니다. お食事(진지)나 ごゆっくり(편하게)처럼 말이지요.

★ 메니 속 패턴 익히기 2

오늘 배운 장면에서 뽑은 핵심 패턴으로 다양한 표현을 만들어보세요.

🎧 04-2.mp3

❶ 형용사·명사 + くさい
매우 ～하다

1 あのおじさんは**ケチくさい**から、お金を貯めることしか考えない。
그 아저씨는 아주 구두쇠여서 돈을 모으는 것밖에 생각하지 않는다.

2 そんなに褒められると**照れくさい**な。 그렇게 칭찬하면 너무 부끄러운데.

3 彼はいつも ＿＿＿＿＿＿＿＿＿＿ 顔をしていますね。 그는 항상 짜증스러운 얼굴을 하고 있네요.

4 誰でも株で儲けられるだなんて、ずいぶん ＿＿＿＿＿＿＿＿＿＿ ことを言いますね。
누구나 주식으로 돈을 많이 벌 수 있다고 하다니, 아주 수상한 말을 하네요.

5 祖父は昔かたぎの人で、考え方が ＿＿＿＿＿＿＿＿＿＿ です。
우리 할아버지는 옛날 사람이어서 사고방식이 너무 낡았어요.

❷ お/ご + 명사
존댓말을 사용할 때 단어 앞에 붙임

1 **お体**に障りますので、早く中にお入りください。 몸에 안 좋으니 빨리 안으로 들어가세요.

2 予期せぬ事故でさぞかしお驚きになったことと**お察し**いたします。
예상치 못한 사고로 크게 놀라셨을 것으로 짐작됩니다.

3 ＿＿＿＿＿＿＿＿＿＿ だけで十分嬉しいです。 그 마음만으로도 충분히 기뻐요.

4 周囲が暗いので、足元に ＿＿＿＿＿＿＿＿＿＿ ください。 주변이 어두우니 발밑을 조심하세요.

5 ＿＿＿＿＿＿＿＿＿＿ や ＿＿＿＿＿＿＿＿＿＿ などございましたら、ご自由にご記入ください。
의견이나 감상이 있다면 자유롭게 기입해 주세요.

정답　❶ 3 辛気くさい　4 胡散くさい　5 古くさい　❷ 3 お気持ち　4 ご注意　5 ご意見, ご感想

문제를 풀며 오늘 배운 표현을 완벽히 내 것으로 만드세요.

A | 애니메이션 속 대화를 완성해 보세요.

店員 ポイントカード ❶______________ー？ 포인트 카드 갖고 계세요?

烈子 あ……いえ……。 아……. 아니요…….

店員 ただいまポイント２倍キャンペーン中なのでお得ですよー。
지금 포인트 2배 행사 중이라 정말 이득이에요.

烈子 えっと……あの……。 으음……. 저…….

烈子 [めんどくさいな。次 ❷______________ な。]
[귀찮네. 다음에 언제 올지도 모르는데.]

店員 ❸______________ー？ 만들어드릴까요?

烈子 あの……け……結構です。 저어……. 돼, 됐어요.

店員 はい？ 네?

店員 お作りしますかー？ 만들어드릴까요?

烈子 ああ……じゃあ……。 아……. 그럼…….

店員 ❹______________ー。 알겠습니다!

店員 それではこちらの記入欄にお名前と、携帯のメールアドレスをご記入頂いて。 그럼 여기 기입란에 성함과 이메일 주소를 적어주시고.

プー子 カード ❺______________ 。 카드 필요 없어요.

정답 A
❶ お持ちですか
❷ いつ来るか分かんないし
❸ お作りしますか
❹ かしこまりました
❺ いりません

B | 다음 빈칸을 채워 문장을 완성해 보세요.

1 그 아저씨는 아주 구두쇠여서 돈을 모으는 것밖에 생각하지 않는다.
あのおじさんは______から、お金を貯めることしか考えない。

2 그렇게 칭찬하면 너무 부끄러운데.
そんなに褒められると______な。

3 우리 할아버지는 옛날 사람이어서 사고방식이 너무 낡았어요.
祖父は昔かたぎの人で、考え方が______です。

4 몸에 안 좋으니 빨리 안으로 들어가세요.
______に障りますので、早く中にお入りください。

5 예상치 못한 사고로 크게 놀라셨을 것으로 짐작됩니다.
予期せぬ事故でさぞかしお驚きになったことと______いたします。

정답 B
1 ケチくさい
2 照れくさい
3 古くさい
4 お体
5 お察し

26

仕事を押しつける上司

일을 떠넘기는 상사

상사가 무작정 떠넘기는 업무를 꾸역꾸역 다 처리한 레츠코는 회사 동료인 페네코, 하이다와 함께 휴게실에서 잠시 쉬며 담소를 나누고 있습니다. 페네코와 하이다는 레츠코가 너무나도 성실한 성격이라면서 푸코와 똑같은 말을 쏟아내지요. 게다가 냉철한 성격의 페네코는 레츠코가 남의 기대에 부응하기 위해 자기 몸을 깎아 먹으면서 회사에 몸 바칠 정도로 성실하다며 촌철살인의 지적을 날리기까지 합니다. 그리고 레츠코 역시 그 말을 부정하지 못하지요.

워밍업! 오늘 배울 표현   오늘 등장하는 표현들입니다. 어떤 표현이 들어가야 할지 생각해 보세요.

* 小心者で ____________________________、企業の思惑にからめ捕られたロボット。
  소심한 탓에 기업의 기대에 얽매인 로봇.

* 過労死を待つ列に自分から並ぶ、従順な ____________________________。
  과로사를 기다리는 행렬에 스스로 줄 서는 순종적인 회사 노예.

* ブラック企業を肥え ____________________________。 악덕 업체를 살찌우기 위한 먹이.

* そのへんに ____________________________。 그 정도로 해둬.

フェネ子
페네코

だって、相手に何か期待されると、身を削ってクソ真面目に応えちゃうタイプじゃん。

상대가 뭔가 기대하면 살을 깎아 피나도록 성실하게 부응하는 타입이잖아.

烈子
레츠코

ああ……なるほど……そうかも……。

아아……, 정말…… 그럴지도 몰라…….

フェネ子
페네코

会社ではその性格が災いして、上司に仕事を押し付けられて自滅するタイプ。

회사에선 그 성격이 화를 불러 상사의 일도 떠맡으며 자멸하는 타입.

烈子
레츠코

ああ……。

아아…….

フェネ子
페네코

小心者であるがゆえに、企業の思惑にからめ捕られたロボット。 ❶

소심한 탓에 기업의 기대에 얽매인 로봇.

烈子
레츠코

あああ……。

아아앗…….

フェネ子
페네코

過労死を待つ列に自分から並ぶ、**従順な社畜。** ❷

과로사를 기다리는 행렬에 <u>스스로</u> 줄 서는 순종적인 회사 노예.

烈子
레츠코

うう……。

<u>으으</u>…….

フェネ子
페네코

ブラック企業を**肥え太らせるための餌。** ❸

악덕 업체를 살찌우기 위한 먹이.

ハイ田
하이다

おい、フェネ子、**そのへんにしとけよ。** ❹

야, 페네코, 그 정도로 해둬.

フェネ子
페네코

あっ、ごめん。言い過ぎた。

아, 미안, 말이 심했다.

ハイ田
하이다

うーん、つまり、あれだ！烈子はいい子ってことだよ。なっ？

으음, 그러니까, 이런 거야! 레츠코는 착한 애라는 거지. 안 그래?

フェネ子
페네코

まあね。だけど、ずっといい子でいるのは……疲れるよね。

뭐 그렇지. 그래도 계속 착한 애로 남는 건…… 지치지.

❶ 小心者であるがゆえに、企業の思惑にからめ捕られたロボット。
소심한 탓에 기업의 기대에 얽매인 로봇.

〜ゆえ는 '이유'라는 뜻으로, 이 장면처럼 〜(が)ゆえに처럼 사용할 수 있습니다. 〜(が)ゆえに는 전에 했던 일로 인해 어떠한 결과가 일어났다, 즉 '〜하기 때문에'라는 뜻입니다. 주로 논문 등에서 사용되는 딱딱한 말이어서 구어 체로는 なので, ですので 등 부드러운 뉘앙스의 말을 사용하는 편이 좋습니다.

★ 애니 속 패턴 익히기 1

❷ 従順な社畜。 순종적인 회사 노예.

社畜(사축)는 회사를 위해 희생양이 되어 죽도록 일하는 회사원을 비꼬는 재미있는 표현입니다. 会社(회사)와 家畜(가축)라는 단어가 조합되어, 마치 회사가 기르는 가축처럼 순종적으로 일하는 직원을 일컫지요. 회사를 위해 열심히 일한다는 뜻의 비슷한 말로 企業戦士나 会社人間도 있지만, 이는 社畜보다는 긍정적인 의미로 쓰인답니다.

＊ A：会社で社畜と呼ばれてる社員には、どんな特徴がありますか？
　　회사에서 사축이라고 불리는 직원에게는 어떤 특징이 있나요?
　 B：例えば、押し付けられた仕事を断れないっていう特徴がありますね。
　　예를 들어 떠맡게 된 일을 거절하지 못한다는 특징이 있지요.

❸ 肥え太らせるための餌。 살찌우기 위한 먹이.

〜ため는 '〜을 위함'이라는 뜻으로 어떤 행위의 목적을 드러냅니다. 애니메이션의 이 장면처럼 흔히 사용되는 형태인 〜ための와 〜ために를 중심으로 해당 표현을 익혀봅시다. 〜ための와 〜ために의 앞 문장에는 말하는 사람의 목적이, 뒤 문장에서는 그 목적을 실현시키기 위한 행위나 수단 등이 나온답니다. 딱딱한 글에서 이 표현을 쓸 때 に를 생략하여 〜ため로 쓸 때도 있지요.

★ 애니 속 패턴 익히기 2

❹ そのへんにしとけよ。 그 정도로 해둬.

〜とけ는 구어체 〜とく의 명령 표현이며, 〜とく는 '〜해두다'라는 뜻입니다. 〜とく의 원래 형태는 〜ておく 이지요. 그래서 애니메이션의 이 장면에서는 そのへんにしておく가 명령의 의도를 드러내기 위해 そのへんに しておけ가 되고, 이것이 축약되어 そのへんにしとけ가 됩니다. 참고로 〜とけ라는 명령형은 주로 남자 말투로 사용됩니다. 다른 활용형인 〜どく의 기본형 〜でおく도 함께 기억해 두면 좋아요.

＊ A：ロールキャベツを作るのに必要なのって、キャベツの他に何だっけ？
　　양배추 롤을 만드는 데 필요한 게, 양배추 말고 또 뭐가 있지?
　 B：豚のひき肉だよ。忘れないで買っとけよな。 다진 돼지고기야. 잊지 말고 사둬.

오늘 배운 장면에서 뽑은 핵심 패턴으로 다양한 표현을 만들어보세요.

🎧 05-2.mp3

① ～(が)ゆえに

～하기 때문에, 그러므로

1 我思う、**ゆえに**我あり。 나는 생각한다. 그러므로 나는 존재한다.

2 一部の国では、**貧しさのゆえに**死んでゆく人々がいる。

일부 나라에서는 가난 때문에 죽어가는 사람들이 있다.

3 政府が判断を ____________________、被害が広範囲にまで広がってしまった。

정부가 판단 실수를 했기 때문에 피해가 광범위해지고 말았다.

4 彼女は ____________________、皆は彼女の犯行に気づかなかった。

그녀는 신뢰받는 사람이었기 때문에 모두 그녀의 범행을 알아차리지 못했다.

5 ここは火山島で ____________________、温泉地として人気が高い。

여기는 화산섬이기 때문에 온천지로 인기가 많다.

② 동사 · 명사の + ために/ための

～을 위해, ～을 위한

1 シートベルトは安全を**守るための**ものだ。 좌석 벨트는 안전을 지키기 위한 것이다.

2 **結婚のために**数年間お金を貯めてきました。 결혼을 위해 몇 년 동안 돈을 저금해 왔습니다.

3 彼は ____________________ 毎日ジョギングをしている。

그는 건강을 위해 매일 조깅한다.

4 両親を ____________________ いろんなプレゼントを準備しました。

부모님을 기쁘게 해드리기 위해 여러 선물을 준비했습니다.

5 この技術は会社の ____________________ ぜひとも必要です。

이 기술은 회사의 발전을 위해 반드시 필요합니다.

정답 ① **3** 誤ったがゆえに **4** 信頼されていたがゆえに **5** あるがゆえに ② **3** 健康のために **4** 喜ばせるために **5** 発展のために

문제를 풀며 오늘 배운 표현을 완벽히 내 것으로 만드세요.

A | 애니메이션 속 대화를 완성해 보세요.

フェネ子 だって、相手に **❶** _____________ と、身を削ってクソ真面目に応えちゃうタイプじゃん。
상대가 뭔가 기대하면 살을 깎아 피나도록 성실하게 부응하는 타입이잖아.

烈子 ああ……なるほど……そうかも……。 아아……, 정말…… 그럴지도 몰라…….

フェネ子 会社では **❷** _____________ 、上司に **❸** _____________ 自滅するタイプ。 회사에선 그 성격이 화를 불러 상사의 일도 떠맡으며 자멸하는 타입.

烈子 ああ……。 아아…….

フェネ子 小心者であるがゆえに、企業の **❹** _____________ ロボット。
소심한 탓에 기업의 기대에 얽매인 로봇.

烈子 あああ……。 아아앗…….

フェネ子 過労死を待つ列に **❺** _____________ 、従順な社畜。
과로사를 기다리는 행렬에 스스로 줄 서는 순종적인 회사 노예.

烈子 うう……。 으으…….

フェネ子 ブラック企業を肥え太らせるための餌。 악덕 업체를 살찌우기 위한 먹이.

B | 다음 빈칸을 채워 문장을 완성해 보세요.

1 나는 생각한다. 그러므로 나는 존재한다.

我思う、_____________ 我あり。

2 일부 나라에서는 가난 때문에 죽어가는 사람들이 있다.

一部の国では、_____________ 死んでゆく人々がいる。

3 좌석 벨트는 안전을 지키기 위한 것이다.

シートベルトは安全を _____________ ものだ。

4 결혼을 위해 몇 년 동안 돈을 저금해 왔습니다.

_____________ 数年間お金を貯めてきました。

5 이 기술은 회사의 발전을 위해 반드시 필요합니다.

この技術は会社の _____________ ぜひとも必要です。

グラグラ揺れる心

이리저리 흔들리는 마음

퇴근 후, 레츠코는 푸코와 만나 재회를 기뻐하며 즐겁게 술을 마십니다. 레츠코는 회사 상사인 황돈 부장에 대해 불평을 쏟아내며, 나중에 꼭 그 얼굴에 사직서를 던져버리고 싶다고 솔직히 고백합니다. 반면에 아주 느긋한 성격인 푸코는 일본에서 수입 잡화점 사업을 할 생각임을 밝힙니다. 푸코가 자기만의 개성을 살려 해외에서 물건을 사 와서 판매하는 사업이라고 설명하자, 월급쟁이 일상에 시달리던 레츠코는 그 사업의 매력에 푹 빠지고 맙니다.

워밍업! 오늘 배울 표현　　오늘 등장하는 표현들입니다. 어떤 표현이 들어가야 할지 생각해 보세요.

* ハッハッハッハッ……　　　　　　　　　　　　　　　　。　하하하……, 웃기다.

* あっ、ごめん。　　　　　　　　　　　　話してるね。　아, 미안. 나만 얘기했네.

* 別に　　　　　　　　　　　　もんじゃ……。　별로 대단한 일도 아닌데…….

오디오 파일을 듣고 3번 따라 말해보세요.   🎧 06-1.mp3

プー子
푸코

ハッハッハッハッ……うける。❶

하하하……, 웃기다.

烈子
레츠코

いつかあいつの顔面にバシーッと退職願を叩きつけてやりたいんだよね。それが私の夢。

언젠가 그 녀석 얼굴에 확 사표를 던져버리고 싶어. 그게 내 꿈이야.

プー子
푸코

アッハッハッ……烈子って話すと面白いよね。

아하하……, 레츠코는 얘기하면 재미있다니까.

烈子
레츠코

あっ、ごめん。私ばっか話してるね。❷ プー子はこれからどうするの？ しばらく日本にいる？

아, 미안. 나만 얘기했네. 푸코는 이제 어떻게 할 거야? 당분간 일본에 있을 거야?

プー子
푸코

実は、今度日本でビジネス始めてみようかなって思ってて。

사실 이번에 일본에서 사업을 시작해 볼까 해.

烈子
레츠코

ビジネス！？

사업?!

プー子
푸코

まあ、先輩と一緒にやるんだけどね。

뭐, 선배랑 같이할 거긴 하지만.

烈子
레츠코

何するの？

뭐 할 건데?

プー子
푸코

輸入雑貨屋。

수입 잡화점.

烈子
레츠코

[輸入雑貨屋！]

[수입 잡화점!]

プー子
푸코

海外から商品買い付けてさ。ホラ、私向こうにもたくさん友達いるし。自分達のセンスで何か面白いこと出来ないかなって。

해외에서 물건을 사 오려고. 난 해외에도 친구가 많으니까. 우리의 센스를 살려서 뭔가 재미있는 일을 할 수 있지 않을까 해서.

烈子
레츠코

何それ……超素敵なんだけど。

뭐야……. 엄청 멋지잖아.

プー子
푸코

やめてよ。別にそんな大したもんじゃ……。❸

그러지 마. 별로 대단한 일도 아닌데…….

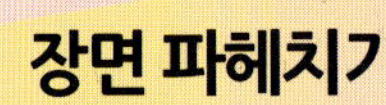

❶ ハッハッハッハッ……**うける**。 하하하……, 웃기다.

이 장면에서 うける는 '재미있다, 평가가 좋으며 사람들에게 인기가 많다'라는 뜻입니다. 시쳇말로 '빵 터지다'라는 의미를 드러낼 때 가타카나로 ウケる라고 쓰지요. 그 외에도 이 단어에서 파생된 超ウケる(너무 웃기다)와 大ウケ(아주 높은 평가를 받다)라는 말도 알아두면 대화의 폭이 넓어질 거예요.

* A：あれ見て！ うちの上司のものまねしてる！ 저기 좀 봐! 우리 상사 흉내를 내고 있어!
　 B：うわー、**超ウケる！** 와아, 완전 웃기다!

❷ **私ばっか話してるね。** 나만 얘기했네.

～ばっか는 '～만'이라고 한정하는 뜻인 ～ばかり의 구어체 표현입니다. ～ばっかり도 구어체로 자주 활용하곤 합니다. 여기서는 ～ばっか와 ～ばかり를 활용한 예문을 살펴보고 공부해 봅시다. 참고로 형태가 비슷한 ～ばかりだ는 '어떤 상황 등이 (한정된 범위에서) 안 좋은 방향으로 진행되고 있다'라는 의미이므로, 문맥과 대화가 이루어지는 상황을 살펴 헷갈리지 않도록 주의합시다.

★ 애니 속 패턴 익히기 1

❸ **別にそんな大したもんじゃ……。** 별로 대단한 일도 아닌데…….

大した는 '대단한, 엄청난'이라는 뜻입니다. 이 말 바로 뒤에 부정적인 단어가 따라오면 애니메이션에서 나온 大したものではない처럼 '이렇다 할 정도는 아니지만, 특별한 건 아니지만'이라는 의미를 나타냅니다. 예를 들어 선물을 주고받을 때 '이거 대단한 건 아니지만'이라는 뜻으로 大したもんじゃないですけど라고 말할 수 있어요. 좀 더 정중한 표현으로 つまらないものですけど라고 할 수도 있습니다.

★ 애니 속 패턴 익히기 2

오늘 배운 장면에서 뽑은 핵심 패턴으로 다양한 표현을 만들어보세요.

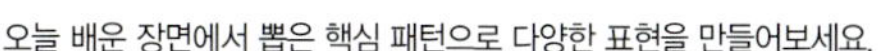

🎧 06-2.mp3

❶ 〜ばっか/〜ばかり

〜만, 〜뿐

1 朝から**雨ばっか**で憂鬱になるよ。 아침부터 비만 내려서 우울해.

2 高級品だけを扱う店なので、**高い品ばっかり**です。 고급품만 취급하는 가게여서 비싼 물건뿐입니다.

3 お金持ちだからって、___________________ではない。 부자라고 해서 좋은 것만 있는 건 아니다.

4 あの先生はいつも___________________だ。 그 선생님은 항상 화만 내신다.

5 あの子はいつも___________________で困ります。 그 아이는 항상 울기만 해서 참 난감합니다.

❷ 大したものではない

(그렇게) 대단한 것은 아니다

1 **大したもんじゃない**ですけど、どうぞお受け取りください。
대단한 건 아니지만 부디 받아주십시오.

2 あの屋敷は見たところ**大したものではなかった**。
그 저택은 겉보기엔 그리 대단하지 않았다.

3 彼の___________________です。
그의 성적은 딱히 대단한 것도 아니었어요.

4 その社員がしてしまった___________________。
그 직원이 저지른 실수는 그렇게 대단한 것도 아니었다.

5 ___________________ので、問題として取り上げる必要はないです。
그 건은 대단한 것도 아니어서 문제시할 필요는 없습니다.

정답 ❶ 3 良いことばっかり 4 怒ってばかり 5 泣いてばかり ❷ 3 成績はべつに大したものでもなかった
4 ミスはそれほど大したものでもなかった 5 あの件は大したものでもない

문제를 풀며 오늘 배운 표현을 완벽히 내 것으로 만드세요.

A | 애니메이션 속 대화를 완성해 보세요.

プー子　アッハッハッ……烈子って話すと面白いよね。

아하하……, 레츠코는 얘기하면 재미있다니까.

烈子　あっ、ごめん。私ばっか話してるね。プー子はこれからどうするの？❶＿＿＿＿＿＿＿＿＿＿＿＿？

아, 미안. 나만 얘기했네. 푸코는 이제 어떻게 할 거야? 당분간 일본에 있을 거야?

プー子　実は、今度日本で❷＿＿＿＿＿＿＿＿＿＿＿＿って思ってて。

사실 이번에 일본에서 사업을 시작해 볼까 해.

烈子　ビジネス！？　사업?!

プー子　まあ、先輩と❸＿＿＿＿＿＿＿＿＿＿ね。　뭐, 선배랑 같이할 거긴 하지만.

烈子　何するの？　뭐 할 건데?

プー子　輸入雑貨屋。　수입 잡화점.

烈子　[輸入雑貨屋！]　[수입 잡화점!]

プー子　海外から❹＿＿＿＿＿＿＿＿＿＿さ。ホラ、私向こうにもたくさん友達いるし。自分達のセンスで❺＿＿＿＿＿＿＿＿＿出来ないかなって。

해외에서 물건을 사 오려고. 난 해외에도 친구가 많으니까. 우리의 센스를 살려서 뭔가 재미있는 일을 할 수 있지 않을까 해서.

정답 A

❶ しばらく日本にいる

❷ ビジネス始めてみようかな

❸ 一緒にやるんだけど

❹ 商品買い付けて

❺ 何か面白いこと

B | 다음 빈칸을 채워 문장을 완성해 보세요.

1　아침부터 비만 내려서 우울해.

朝から＿＿＿＿＿＿＿＿＿＿で憂鬱になるよ。

2　고급품만 취급하는 가게여서 비싼 물건뿐입니다.

高級品だけを扱う店なので、＿＿＿＿＿＿＿＿＿です。

3　그 아이는 항상 울기만 해서 참 난감합니다.

あの子はいつも＿＿＿＿＿＿＿＿＿で困ります。

4　대단한 건 아니지만 부디 받아주십시오.

＿＿＿＿＿＿＿＿＿ですけど、どうぞお受け取りください。

5　그 저택은 겉보기엔 그리 대단하지 않았다.

あの屋敷は見たところ＿＿＿＿＿＿＿＿＿。

정답 B

1　雨ばっか

2　高い品ばっかり

3　泣いてばかり

4　大したもんじゃない

5　大したものではなかった

夢に浮かれて

꿈에 들떠서

짜증 나는 직장 상사에 대한 방송 인터뷰가 벌어지고 있는 시부야! 방송을 진행하는 리포터가 마침 길을 가던 레츠코를 붙잡고 인터뷰를 요청합니다. 리포터가 회사에 직원들을 괴롭히는 직장 상사가 있냐고 묻자, 레츠코는 대번에 황돈 부장을 떠올리고 대답합니다. 리포터는 짧게 인터뷰를 하고 끝낼 생각이었지만, 황돈 부장을 생각하면 할수록 속에서 열불이 나는 레츠코는 아예 리포터의 마이크를 빼앗아 들고 상사의 배려 없는 행동에 대해 열변을 토하고 맙니다.

 **워밍업! 오늘 배울 표현** 오늘 등장하는 표현들입니다. 어떤 표현이 들어가야 할지 생각해 보세요.

* 早速、聞いて   !　 그럼 바로 시작해 봅시다!

* 終業間際にいきなり   人とか……。
  퇴근하기 직전에 갑자기 일을 엄청 몰아주는 상사라든지…….

*   ですね。 그런 일은 흔하죠.

* そのくせ、媚売ってる   とか。
  그러면서 자기한테 아양 떠는 여자한테는 엄청 잘해줘요.

レポーター
리포터

今日はここ渋谷に来ております！　今回のテーマは「ムカつく上司！」。早速、聞いて参りましょう！❶
あっ！　そこの黄色い女性の方！　お仕事何をされてますか？

오늘은 여기 시부야에 나와 있습니다! 이번 주제는 '짜증 나는 상사'. 그럼 바로 시작해 봅시다!
앗! 거기, 노란 숙녀분! 어떤 일을 하시나요?

烈子
레츠코

あっ、あの……OLです。

아, 저어……, 사무직입니다.

レポーター
리포터

職場にムカつく上司、いますよね？

회사에 짜증 나는 상사가 있죠?

烈子
레츠코

えーまあ、いますね。

아, 네, 물론 있죠.

レポーター
리포터

それはどんな？

어떤 분인가요?

烈子
레츠코

えっと……終業間際にいきなり仕事をたくさん押し付けてくる人とか……。❷

그게…… 퇴근하기 직전에 갑자기 일을 엄청 몰아주는 상사라든지…….

レポーター
리포터

ハッハッハ！　ありがちですね。❸

하하핫! 그런 일은 흔하죠.

烈子
레츠코

もっと早く言えよ〜みたいな。

더 일찍 말해달라고요, 하는 기분이 들죠.

レポーター
리포터

なるほど〜お時間頂きありがとうございまし……。

그렇군요. 시간 내주셔서 감사합니…….

烈子
레츠코

あと、女ってだけでバカにしてくる人とか。そのくせ、媚売ってる女に甘かったりとか。❹ 全然、仕事してないくせに無駄に汗ばっかりかいてたりとか。

그리고 여자라는 이유만으로 바보 취급 하는 사람도 있어요. 그러면서 자기한테 아양 떠는 여자한테는 엄청 잘해줘요. 일도 전혀 안 하면서 쓸데없이 땀만 흘리더라고요.

レポーター
리포터

大分不満が溜まってるようですね。ありがとうござい……。

불만이 꽤 쌓인 것 같군요. 그럼 감사합…….

デス烈子
데스 레츠코

テメエのことだ！
この男尊女卑のビヤ樽があ！

이 자식아, 네 얘기 하는 거야!
이 남존여비 사상에 찌든 배불뚝이 돼지야!

❶ 早速、聞いて参りましょう! 그럼 바로 시작해 봅시다!

参る에는 여러 가지 뜻이 있지만 이 장면에서는 '行く(가다)'라는 의미로 사용되었습니다. 리포터가 준비한 질문을 차근차근 묻고 여러 시민의 말씀을 들으며 가보자는 상황이기 때문에 聞いて行きましょう라고 말하되, 行く 대신 상대방에게 자신을 낮추는 겸양어 参る로 표현한 것이지요. 이렇게 무언가를 당사자에게 직접 聞きに行く(물어보러 가다)인 상황에서는 聞きに参る 처럼 겸양어를 쓰면 좋습니다.

* A：ご用件をお伺いしてもよろしいですか? 용건을 여쭤봐도 될까요?
  B：御社に書類を受け取りに参りました。 귀사에 서류를 받으러 왔습니다.

❷ 終業間際にいきなり仕事をたくさん押し付けてくる人とか……。
퇴근하기 직전에 갑자기 일을 엄청 몰아주는 상사라든지…….

〜てくる는 결합하여 사용된 동사의 행위가 말하는 사람의 위치나 방향 쪽으로 다가오는 뉘앙스로 '〜해오다'라는 의미입니다. 특히 이 장면처럼 상대방이 말하는 사람 쪽으로 어떤 행동을 가하는 상황을 표현할 때 〜てくる가 없으면 말이 어색해질 수 있지요. 그러나 手伝う(돕다)처럼 말하는 이에게 이득이 되는 행동에는 〜てくる를 사용하지 않습니다.

★ 애니 속 패턴 익히기 1

❸ ありがちですね。 그런 일은 흔하죠.

〜がち는 '흔히 〜한 상태가 될 때가 많다'라는 뜻입니다. 예전부터 어떤 동작이나 상태가 몇 번이나 자주 일어났음을 강조할 때 쓰는 표현인데, 대개 좋지 않은 상황을 두고 쓰이지요. 애니메이션에서 쓰인 것처럼 동사와 〜がち가 결합하면 '별생각 없이도 자꾸만 그렇게 되고 만다'라는 뉘앙스가 강합니다. 명사와 〜がち의 조합이면 '항상, 자주'라는 뉘앙스로 사용된다는 것을 알아두면 대화를 폭넓게 이해하는 데 훨씬 도움이 됩니다.

* A：一人暮しを始めてから外食ばかりしてるんだ。 혼자 자취를 시작하고부터 외식만 하고 있어.
  B：ああ、そう。外食が多いと栄養が偏りがちになりますよね。
  아, 그렇군요. 외식이 잦으면 식사 영양이 한쪽으로 쏠리기 쉬워져요.

❹ そのくせ、媚売ってる女に甘かったりとか。 그러면서 자기한테 아양 떠는 여자한테는 엄청 잘해줘요.

이 장면에서는 나쁜 상사의 예가 여러 개 열거됩니다. 이렇게 몇 가지 예시를 늘어놓을 때 쓰는 표현이 바로 〜たり(〜하거나)입니다. 그런데 〜たり 앞에 들어가는 동작들은 모두 언어적으로 같은 그룹에 속해야 합니다. 그래서 昨日はコーヒーを飲んだり、出張にいったりした(어제 커피를 마시거나 출장을 가기도 했다) 같은 문장은, 커피를 마시는 것과 출장 가는 것을 같은 부류의 동작으로 보기 어렵기 때문에 어색하게 느껴질 수 있지요. 그러나 昨日はコーヒーを飲んだり、本を読んだりしてゆっくり休みました(어제 커피를 마시거나 책을 읽으며 느긋하게 쉬었습니다)에서 커피를 마시거나 책을 읽는 것처럼 늘어놓는 일이 문맥상 같은 범주이면 올바른 사용이 됩니다.

★ 애니 속 패턴 익히기 2

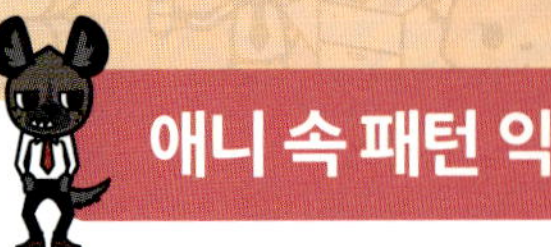

오늘 배운 장면에서 뽑은 핵심 패턴으로 다양한 표현을 만들어보세요.

🎧 07-2.mp3

❶ 동사 + てくる　　　　　　　　　　　　　～해오다

1　彼はいつも理不尽なことで**怒りをぶつけてくる**。　그는 항상 불합리한 일로 분노를 쏟아낸다.

2　その猫は肉球を触るとすぐ私の**手に噛み付いてきます**。

그 고양이는 발바닥 육구를 만지면 바로 제 손을 깨뭅니다.

3　記者会見中、一人の記者が ________________________ 。　기자회견 중에 한 기자가 대답하기 곤란한 질문을 했다.

4　彼女が ________________________ せいで、こんなことになった。

그녀가 괜한 참견을 한 바람에 이런 일이 생겼다.

5　急いでいるときに知らない人が ________________________ 。　서두르고 있는데 낯선 사람이 말을 걸어왔다.

❷ 동사 + たり　　　　　　　　　　　　　～하거나

1　今度の休みには家中を**掃除したり**、溜まった洗濯物を**片づけたり**する予定です。

이번 휴가에는 집 안을 청소하거나 쌓인 빨래를 처리할 예정입니다.

2　この研究所では、薬物の**実験をしたり**新薬を**開発したり**しています。

이 연구소에서는 약물 실험을 하거나 신약을 개발합니다.

3　大学時代は合コンに ________________________ 、友達と ________________________ して、とても楽しかったな。

대학 시절에는 미팅에 가거나 친구와 여행을 하거나 해서 아주 즐거웠어.

4　コロナ予防のため、マスクを ________________________ 手を ________________________ するのを忘れないでください。

코로나 예방을 위해 마스크를 쓰거나 손을 씻는 것을 잊지 마세요.

5　この季節になると、川の水が ________________________ 、土砂崩れが ________________________ する。

이 계절이 되면 강물이 범람하거나 산사태가 일어나기도 한다.

정답　❶ 3 答えに困る質問をしてきた　4 余計な手出しをしてきた　5 話しかけてきた
　　　　　❷ 3 参加したり, 旅行したり　4 着けたり, 洗ったり　5 溢れたり, 起こったり

A ｜ 애니메이션 속 대화를 완성해 보세요.

レポーター　職場にムカつく上司、いますよね？　회사에 짜증 나는 상사가 있죠?

烈子　えーまあ、いますね。　아, 네. 물론 있죠.

レポーター　それはどんな？　어떤 분인가요?

烈子　えっと……❶＿＿＿＿＿＿＿＿＿＿いきなり仕事をたくさん押し付けてくる人とか……。

그게…… 퇴근하기 직전에 갑자기 일을 엄청 몰아주는 상사라든지…….

レポーター　ハッハッハ！　ありがちですね。　하하햇! 그런 일은 흔하죠.

烈子　もっと早く言えよ〜みたいな。　더 일찍 말해달라고요, 하는 기분이 들죠.

レポーター　なるほど〜❷＿＿＿＿＿＿＿＿＿＿ありがとうございまし……。

그렇군요. 시간 내주셔서 감사합니…….

烈子　あと、女ってだけで❸＿＿＿＿＿＿＿＿＿人とか。そのくせ、❹＿＿＿＿＿＿＿＿＿女に甘かったりとか。全然、仕事してないくせに❺＿＿＿＿＿＿＿＿＿たりとか。

그리고 여자라는 이유만으로 바보 취급 하는 사람도 있어요. 그러면서 자기한테 아양 떠는 여자한테는 엄청 잘해줘요. 일도 전혀 안 하면서 쓸데없이 땀만 흘리더라고요.

정답 A

❶　終業間際に
❷　お時間頂き
❸　バカにしてくる
❹　媚売ってる
❺　無駄に汗ばっかりかいて

B ｜ 다음 빈칸을 채워 문장을 완성해 보세요.

1　그는 항상 불합리한 일로 분노를 쏟아낸다.

彼はいつも理不尽なことで＿＿＿＿＿＿＿＿＿。

2　그 고양이는 발바닥 육구를 만지면 바로 제 손을 깨뭅니다.

その猫は肉球を触るとすぐ私の＿＿＿＿＿＿＿＿＿。

3　서두르고 있는데 낯선 사람이 말을 걸어왔다.

急いでいるときに知らない人が＿＿＿＿＿＿＿＿＿。

4　이번 휴가에는 집 안을 청소하거나 쌓인 빨래를 처리할 예정입니다.

今度の休みには家中を＿＿＿＿＿＿＿＿＿、溜まった洗濯物を＿＿＿＿＿＿＿＿＿する予定です。

5　이 연구소에서는 약물 실험을 하거나 신약을 개발합니다.

この研究所では、薬物の＿＿＿＿＿＿＿＿＿新薬を＿＿＿＿＿＿＿＿＿しています。

정답 B

1　怒りをぶつけてくる
2　手に噛み付いてきます
3　話しかけてきた
4　掃除したり、片づけたり
5　実験をしたり、開発したり

初めて上司に嚙み付く

처음으로 상사에게 대들다

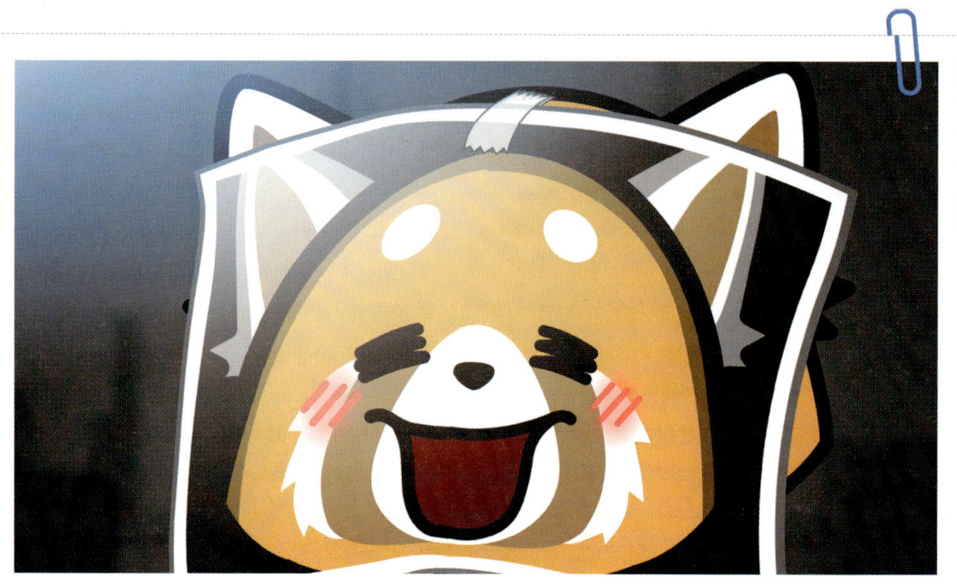

푸코의 사업 제안으로 마음이 들뜬 레츠코는 업무 중에 연달아 실수를 저지릅니다. 결국 보다 못한 쓰보네가 레츠코를 불러 폭풍과도 같은 잔소리를 퍼붓게 되지요. 대체 회사에는 뭐 하러 왔느냐, 놀면서 돈 받으니까 좋겠다. 너한테 일을 맡긴 내가 바보라는 등 직원의 사기를 꺾는 온갖 지적에 레츠코는 마음이 상합니다. 레츠코는 자신이 왜 이런 소리까지 들어가며 일을 하는지 울화통이 터져, 처음으로 상사에게 용감하게 대들고 맙니다.

워밍업! 오늘 배울 표현　　오늘 등장하는 표현들입니다. 어떤 표현이 들어가야 할지 생각해 보세요.

* 最近 ＿＿＿＿＿＿＿＿＿＿＿＿＿＿＿＿わね。 요새 정신이 좀 느슨해지신 것 같은데.

* ＿＿＿＿＿＿＿＿＿＿＿私だけど……。 분명 내가 잘못했지만…….

* あんたの担当分を私に ＿＿＿＿＿＿＿＿＿＿仕事じゃん……。
당신 일을 나한테 무리하게 시킨 거잖아…….

* ＿＿＿＿＿＿＿＿＿＿＿＿＿。 말해버렸어.

坪根
쓰보네
どうしちゃったの？ **最近たるんでらっしゃるわね。**❶ 一体、何しに会社に来てるのかしら？
무슨 일 있나? 요새 정신이 좀 느슨해지신 것 같은데. 대체 뭐 하러 회사에 오는 거야?

烈子
레츠코
仕事です。
일하러 옵니다.

坪根
쓰보네
はあ？ 遊びに来てるんでしょ？ だから会社でこんな顔ができるんでしょ!?
뭐? 놀러 오는 거 아니고? 그래서 회사에서 이런 표정 짓는 거 아니었어?!

坪根
쓰보네
ほら、とっても楽しそう。いいわね、遊んでお金がもらえるなんて。
봐봐, 정말 즐거워 보여. 좋겠네, 놀면서 돈도 벌 수 있으니 말이야.

烈子
레츠코
[**確かに間違ったのは私だけど……。**❷]
[분명 내가 잘못했지만…….]

坪根
쓰보네
まっ、あんたに頼んだ私がバカだったわ。だって時間を無駄にされるだけなんだもの。
그래. 너한테 일을 부탁한 내가 바보지. 네가 하는 건 시간 낭비밖에 없으니까.

烈子
레츠코
[**元々あんたの担当分を私に無茶振りして来た仕事じゃん……。**❸ 私、何で我慢してるの?]
[원래 당신 일을 나한테 무리하게 시킨 거잖아……. 나 왜 참고 있는 거지?]

坪根
쓰보네
大体ね、私が若い頃は、それは厳しい時代だったのよ。前々から言おうとは思ってたんだけど……。
烈子さん、烈子さん！ 聞いてるの!?
도대체가 말이야, 내가 젊었을 때는 얼마나 힘든 시절이었다고. 전부터 말하려고 했는데…….
레츠코 씨, 레츠코 씨! 듣고 있는 거야?!

烈子
레츠코
そんなに言うなら、最初からご自分でおやりになったらいいじゃないですか。
그렇게 말씀하실 거면 처음부터 직접 하시면 좋잖아요.

坪根
쓰보네
あなた何を言ったか分かってるの？
너, 무슨 말 한 건지 알기나 해?

烈子
레츠코
[**言ってやった。**❹ もう後には引けない。もう真面目ないい子には戻れない。言ってやった。言ってやった。私は言ってやった。]
[말해버렸어. 이제 돌이킬 수 없어. 이제 성실하고 착한 애로 돌아갈 수 없어. 말해버렸어. 말해버렸어. 내가 진짜 말했다고.]

❶ 最近たるんでらっしゃるわね。 요새 정신이 좀 느슨해지신 것 같은데.

たるんでいる에 있는 居る의 존경어는 いらっしゃる로, 제삼자의 행위나 사물, 상태 등을 높여 말하는 존경 표현입니다. 이 장면에서는 기본형인 〜ていらっしゃる에서 い가 생략된 구어체로 변해 〜てらっしゃる로 변한 것이지요. 반면 자신이나 자신 쪽 사람을 낮출 때는 居る의 겸양어와 공손어를 사용하여 おる나 おります라고 사용해야 한답니다. 그러나 たるむ와 같이 의미가 부정적인 단어는 존경어로 사용하지 않는다는 점을 알아두세요. 이 장면에서는 たるむ에 존경어 いらっしゃる를 붙여 레츠코를 은근히 비꼬고 괴롭히는 뉘앙스로 쓰였답니다.

* A : 中山さんはいらっしゃいますか？ 나카야마 씨 계십니까?
  B : 今、外回りに出ています。 지금 외근 중입니다.

❷ 確かに間違ったのは私だけど……。 분명 내가 잘못했지만…….

確かに는 기본적으로 '명확하고 틀림없는', '확실히 신뢰할 만한'이라는 두 가지 뜻이 있습니다. 그런데 이 장면처럼 確かに라고 사용하면 전자의 뜻만 갖게 됩니다. 確かに 다음에는 반박하기 전에 상대방의 의견 일부를 인정하는 말이 나오지요. 이 장면에서 레츠코는 자기 실수가 확실하다고 완전히 인정하는 것이 아니라, 나도 어느 정도 잘못하긴 했지만 사실상 일을 떠맡긴 쓰보네가 잘못했다는 의도에서 確かに를 쓴 것이죠.

★ 애니 속 패턴 익히기 1

❸ あんたの担当分を私に無茶振りして来た仕事じゃん……。 당신 일을 나한테 무리하게 시킨 거잖아…….

無茶振り는 사실 만담에서 사용하는 웃음 유발 수법의 일종입니다. 만담 등에서 우스꽝스럽게 행동하는 보케(ボケ)와 이야기를 이끌어가는 츳코미(ツッコミ)가 이야기를 주고받으며, 수습이 안 되는 난감한 상황을 만들고 상대방에게 들이밀어서 허둥대는 모습으로 웃음을 유발하는 것이지요. 그런 맥락에서 나온 말이기에, 일상생활에서는 '어려운 일 등을 무리하게 요구하는 것'이라는 뜻으로 사용된답니다.

* A : 最近上司に仕事を無茶振りされて大変なの。 최근 상사가 무리하게 일을 시켜서 힘들어.
  B : そうか。まあ、それをむしろチャンスだと思うしかないだろうね。
  그래? 음, 그걸 오히려 기회라고 생각하는 수밖에 없겠네.

❹ 言ってやった。 말해버렸어.

이 장면에서 레츠코는 '결국 대들어 버렸다, 결국 사고를 치고 말았다'라는 자포자기의 뉘앙스로 말합니다. 기본형은 〜てやる(〜해버리겠다, 〜하겠다)로, 말하는 사람의 강한 의지를 드러낼 때 사용합니다. '이따위 직장 때려치우겠어!'라는 식으로 불만이나 분노, 복수심, 자포자기 등의 감정이 가득 담겨 있다고 할 수 있지요. 그래서 좋은 일에 대해서는 이 표현을 사용하지 않습니다. 즉 明日にこそお祝いをしてやる！(내일은 꼭 축하를 하겠어!)라고 말하지 않아요.

★ 애니 속 패턴 익히기 2

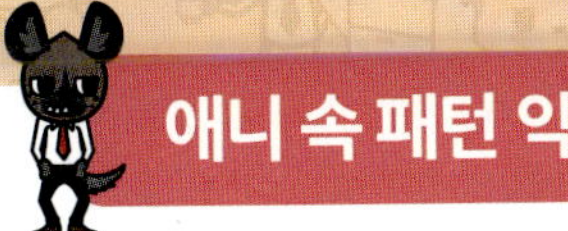

오늘 배운 장면에서 뽑은 핵심 패턴으로 다양한 표현을 만들어보세요.

🎧 08-2.mp3

❶ 確かに

물론, 분명히, 명확하고 틀림없는

1 人に暴力を振るうというのは、**確かに間違いです**。 남에게 폭력을 휘두르는 건 분명 잘못된 일입니다.

2 今朝、彼からの手紙を**確かに受け取りました**。 오늘 아침, 그가 보낸 편지를 틀림없이 받았습니다.

3 会社内部で経営陣に対する批判の声が高まるのも ....。
회사 내부에서 경영진에 대한 비판의 목소리가 높아지는 것도 물론 이해할 수 있습니다.

4 出産旅行は妊婦が早産する可能性があるので、......................。
원정 출산은 임산부가 조산할 가능성이 있으므로 분명 그 위험성에는 동의한다.

5 それは仕方がないミスだったから、......................。
그건 어쩔 수 없는 실수였으니까 분명 네 책임이 아니다.

❷ 동사 + てやる

~해버리겠다, 하겠다

1 来年こそは、必ず試験に**合格してやる**。 내년에야말로 반드시 합격하겠어.

2 会社の不正をマスコミに**暴露してやる**。 회사의 부정을 매스컴에 폭로하겠어.

3 あいつをいつか ....。 그 녀석, 언젠가 때려주고 말 거야.

4 絶対成功してみんなを ....。
반드시 모두에게 보란 듯이 성공해 보이고 말겠어.

5 もし別れるっていうなら、ここで .... からね。
만약 헤어진다고 하면 여기서 죽어버릴 거야.

정답
❶ 3 確かに理解できます　4 確かにその危険性には同意する　5 確かに君の責任ではない
❷ 3 殴ってやる　4 見返してやる　5 死んでやる

문제를 풀며 오늘 배운 표현을 완벽히 내 것으로 만드세요.

A | 애니메이션 속 대화를 완성해 보세요.

坪根　ほら、とっても楽しそう。いいわね、❶______________
なんて。　봐봐, 정말 즐거워 보여. 좋겠네, 놀면서 돈도 벌 수 있으니 말이야.

烈子　[確かに間違ったのは私だけど……。]　[분명 내가 잘못했지만…….]

坪根　まっ、あんたに頼んだ私がバカだったわ。だって
❷______________だけなんだもの。
그래, 너한테 일을 부탁한 내가 바보지. 네가 하는 건 시간 낭비밖에 없으니까.

烈子　[元々あんたの担当分を私に無茶振りして来た仕事じゃん
……。私、❸______________?]
[원래 당신 일을 나한테 무리하게 시킨 거잖아……. 나 왜 참고 있는 거지?]

坪根　大体ね、私が若い頃は、それは厳しい時代だったのよ。
前々から言おうとは思ってたんだけど……。
烈子さん、烈子さん！聞いてるの!?
도대체가 말이야, 내가 젊었을 때는 얼마나 힘든 시절이었다고, 전부터 말하려고 했는데…….
레츠코 씨, 레츠코 씨! 듣고 있는 거야?!

烈子　そんなに言うなら、最初から❹______________いいじゃ
ないですか。　그렇게 말씀하실 거면 처음부터 직접 하시면 좋잖아요.

坪根　あなた何を言ったか分かってるの？　너, 무슨 말 한 건지 알기나 해?

烈子　[言ってやった。❺______________。]　[말해버렸어. 이제 돌이킬 수 없어.]

B | 다음 빈칸을 채워 문장을 완성해 보세요.

1　남에게 폭력을 휘두르는 건 분명 잘못된 일입니다.
人に暴力を振るうというのは、______________。

2　오늘 아침, 그가 보낸 편지를 틀림없이 받았습니다.
今朝、彼からの手紙を______________。

3　내년에야말로 반드시 합격하겠어.
来年こそは、必ず試験に______________。

4　회사의 부정을 매스컴에 폭로하겠어.
会社の不正をマスコミに______________。

5　반드시 모두에게 보란 듯이 성공해 보이고 말겠어.
絶対成功してみんなを______________。

転職活動がバレた！？

이직하려던 걸 들켰다?!

이직 계획을 들킨 레츠코. 결국 황돈 부장의 호출을 받고 맙니다. 회사가 사원 교육에 들인 비용이 얼마나 되는지 주판을 튕기며 계산하는 무시무시한 분위기의 황돈 부장 앞에서, 레츠코는 달달 떨면서 꿈과 현실 사이를 재며 푸코와의 일을 회상하지요. 풀이 죽은 레츠코에게 푸코는 다들 각자의 길이 있다며, 자기 같이 대충 사는 사람들이 편히 지낼 수 있는 것도 다 레츠코처럼 성실한 사람 덕분이라며 격려합니다. 두 사람 사이는 그렇게 훈훈하게 일단락됐지만, 레츠코 앞에는 무서운 황돈 부장이!

워밍업! 오늘 배울 표현 오늘 등장하는 표현들입니다. 어떤 표현이 들어가야 할지 생각해 보세요.

* ⬚⬚⬚⬚⬚⬚⬚⬚⬚っと……。 떨고 놓기를…….

* 俺はパソコンって奴が、⬚⬚⬚⬚⬚⬚⬚⬚⬚でな。 난 정말 컴맹이라서 말이야.

* 夢だけ⬚⬚⬚⬚⬚⬚⬚⬚か分かる？ 꿈만 좇으며 살 수 있는지 알아?

* 私らボンクラが安心して⬚⬚⬚⬚⬚⬚⬚⬚。
우리 같은 바보들이 안심하고 편히 살 수 있도록 말이야.

トン
황돈

ご破算で願いましてはっと……。❶
떨고 놓기를…….

トン
황돈

いい音だ？ 今は会計ソフトでカタカタやるのが経理の仕事だが、俺はパソコンって奴が、どうも苦手でな。❷
소리 좋지? 요샌 회계 프로그램으로 탁탁 처리하는 게 경리의 일인데 난 정말 컴맹이라서 말이야.

烈子
레츠코

……。
…….

トン
황돈

そろばんで、お前の教育のために会社がどれだけの金をつぎ込んだのか、ざっと計算してるところだ。へへへ……。
주판으로 너를 교육하기 위해 회사가 얼마나 돈을 들였는지 대강 계산하는 중이야. 헤헤헤…….

烈子
레츠코

[私もあの時、頭の中でそろばんを弾きました。値段のつけられない夢と、値段のつく現実を、天秤の上に載せたのです。]
[저도 그때 머릿속으로 주판을 튕겼습니다. 값을 매길 수 없는 꿈과 값이 매겨진 현실을 저울 위에 올렸습니다.]

烈子
레츠코

ごめん……私やっぱり……。
미안해……. 난 역시…….

プー子
푸코

ちょっと！ 落ち込まないでよ。
얘도 참! 우울해하지 마.

烈子
레츠코

ごめん。
미안해.

プー子
푸코

だから、何で烈子が謝んの？ いいんだよ、烈子には烈子の生き方があるんだから。
그러니까 왜 네가 사과하는 건데? 괜찮아. 너에게는 너의 삶의 방식이 있으니까.

プー子
푸코

ねえ、何で私みたいにフラフラしたいい加減な奴が夢だけ食って生きていけるか分かる？❸
있지. 왜 나처럼 불안정하게 적당히 사는 사람이 꿈만 좇으며 살 수 있는지 알아?

烈子
레츠코

えっ？ 何でだろう？
어? 왜일까?

プー子
푸코

烈子みたいに堅実な人達がきちんと働いて真面目に税金払ったり、経済回したりしてくれてるおかげじゃん。だから悪いけど、烈子は真面目に、堅実に生きてよ。私らボンクラが安心してフラフラできるように。❹
너같이 착실한 사람들이 열심히 일해서 성실히 세금을 내고, 경제를 돌아가게 해준 덕분이잖아. 그러니 미안하지만 넌 성실하고 착실하게 살아. 우리 같은 바보들이 안심하고 편히 살 수 있도록 말이야.

장면 파헤치기

구문 설명과 예문으로 이 장면의 핵심 표현을 완벽히 이해하세요.

❶ ご破算で願いましてはっと……。 떨고 놓기를…….

황돈 부장이 주판알을 좌르륵 늘어 세우는 이 장면! ご破算で願いましては는 주판으로 계산하는 주산에서 쓰이는 말로 '일단 주판을 리셋하고, 처음부터 다시 계산해 주세요'라는 뜻이랍니다. 이런 말이 있는 이유는 다른 사람이 숫자를 읽게 하면서 자신은 주판으로 계산하는 방식인 読み上げ算 때문이지요. ご破算은 쉽게 말해서 '초기화'라는 의미로, 관용구 ご破算になる는 일이 잘 진행되다가 갑자기 엉망이 되는 등의 유감스러운 상황에서 사용되는 표현이랍니다.

❷ 俺はパソコンって奴が、どうも苦手でな。 난 정말 컴맹이라서 말이야.

苦手는 '다루기 어렵고 거북한 것, 잘하지 못하고 서툴러서 자신이 없고 피하고 싶은 마음'을 나타냅니다. 그래서 嫌い(싫어하다)와 비슷하다고 여기기 쉽지요. 그런데 苦手에는 싫어한다는 뜻이 없습니다. 일상생활에서는 体育の授業は好きだけど、走るのは苦手(체육 수업은 좋아하지만 달리기는 좀 싫다)라는 식으로 苦手를 쓰는데, '달리기가 진짜 싫다'라는 뜻이 아니라 '좀 서툴고 못한다'라는 의미가 확실히 전해지지요? 다만, 魚が苦手(생선이 싫다)라고 한다면 이때는 정말로 '싫다'를 의미하게 됩니다. 왜냐하면 체육은 서투르고 하기 어려운 것이지만, 생선은 서투를 수 있는 대상이 아니니까요. 그래서 苦手라는 단어를 쓸 때는 주의해야 합니다.

* A：あなた、いつもあの人のこと避けてるみたいですね。 당신은 항상 저 사람을 피하는 것 같네요.
  B：正直、あの人と1年以上一緒に仕事をしてきたけど、どうしても苦手なんです。
  솔직히 저 사람과 1년 이상 같이 일을 했지만 영 거북해서요.

❸ 夢だけ食って生きていけるか分かる？ 꿈만 좇으며 살 수 있는지 알아?

～ていける라는 표현의 기본형 ～ていく는 현재에서 미래까지 상황이 지속적으로 진행되고 있다, 즉 '계속 ～하며 나아가다'라는 뜻으로 사용됩니다. 미래에 대한 의지를 드러내는 표현이므로, 이어지는 문장에서는 주로 ～つもりだ(～할 셈이다), ～ようと思っている(～할 생각이다), ～予定だ(～할 예정이다) 등의 말이 자주 나오지요. ～ていく는 변화의 진행이나, 점점 소멸되어 가는 상황 등을 표현할 때도 사용할 수 있으니 대화 속에서 정확히 구분하여 사용합시다.

★내 속 패턴 익히기 1

❹ 私らボンクラが安心してフラフラできるように。 우리 같은 바보들이 안심하고 편히 살 수 있도록 말이야.

～ように는 목적이나 목표를 실현하고자 하는 의지를 드러낼 때, 즉 '～하기 위해, ～하도록'이라는 뜻으로 쓰는 표현입니다. [목적/목표＋ように＋목적을 달성할 수 있는 의지 동작]의 형식으로 활용할 수 있어요. 또한 明日の試合で勝てますように(내일 시합에서 이길 수 있게 해주세요)처럼 무언가를 기원하고 희망하는 '～하게 해주세요'의 뜻으로 쓰는 경우도 있으니 확실히 구분해서 사용하도록 합시다.

★내 속 패턴 익히기 2

오늘 배운 장면에서 뽑은 핵심 패턴으로 다양한 표현을 만들어보세요.

🎧 09-2.mp3

❶ 동사 + ていく
계속 ~하며 나아가다

1 もっと上手になりたいので、これからも**頑張っていきます**。
좀 더 잘하고 싶으니 앞으로도 열심히 하겠습니다.

2 結婚してもこの仕事は**続けていく**。 결혼해도 이 일은 계속할 것이다.

3 合格するまで ＿＿＿＿＿＿＿＿＿＿＿＿ つもりです。 합격할 때까지 공부를 계속할 생각입니다.

4 面倒なことは避けて、のんびり ＿＿＿＿＿＿＿＿＿＿ つもりだ。
귀찮은 일은 피하면서 느긋하게 살아갈 생각이다.

5 引退後には農作物を ＿＿＿＿＿＿＿＿＿＿ 予定です。 은퇴 후에는 농작물을 계속 키울 예정입니다.

❷ 동사 + ように
~을 하기 위해, ~하도록

1 勉強したことを**忘れないように**、すぐにメモしておきます。
공부한 것을 잊지 않도록 바로 메모해 두겠습니다.

2 家具は、地震が起こっても**倒れないように**、壁に固定したほうがいい。
가구는 지진이 일어나도 쓰러지지 않도록 벽에 고정하는 것이 좋다.

3 明日は試験なので、＿＿＿＿＿＿＿＿＿＿ 今日は早く寝ます。
내일은 시험이니 늦잠 자지 않도록 오늘은 일찍 자겠습니다.

4 アメリカに ＿＿＿＿＿＿＿＿＿＿ 、今のうちから頑張って勉強をしている。
미국으로 유학을 갈 수 있도록 지금부터 열심히 공부하고 있다.

5 みんなからよく ＿＿＿＿＿＿＿＿＿＿ 、案内を大きい字で書いておいた。
모두에게 잘 보이도록 안내문을 큰 글씨로 적어두었다.

정답 ❶ 3 勉強していく 4 生きていく 5 育てていく ❷ 3 寝坊しないように 4 留学できるように 5 見えるように

문제를 풀며 오늘 배운 표현을 완벽히 내 것으로 만드세요.

A | 애니메이션 속 대화를 완성해 보세요.

トン そろばんで、お前の教育のために会社が ❶ _______________
のか、ざっと計算してるところだ。へへへ……。

주판으로 너를 교육하기 위해 회사가 얼마나 돈을 들였는지 대강 계산하는 중이야. 헤헤헤…….

烈子 [私もあの時、頭の中で ❷ _______________ 。 ❸ _______________
_______________ と、値段のつく現実を、天秤の上に載せたのです。]

[저도 그때 머릿속으로 주판을 튕겼습니다. 값을 매길 수 없는 꿈과 값이 매겨진 현실을 저울 위에
올렸습니다.]

烈子 ごめん……私やっぱり……。 미안해……. 난 역시…….

プー子 ちょっと！ ❹ _______________ 。 얘도 참! 우울해하지 마.

烈子 ごめん。 미안해.

プー子 だから、何で烈子が謝んの？ いいんだよ、烈子には烈子の生
き方があるんだから。

그러니까 왜 네가 사과하는 건데? 괜찮아. 너에게는 너의 삶의 방식이 있으니까.

プー子 ねえ、何で私みたいに ❺ _______________ が夢だけ食って生
きていけるか分かる？

있지, 왜 나처럼 불안정하게 적당히 사는 사람이 꿈만 좇으며 살 수 있는지 알아?

烈子 えっ？ 何でだろう？ 어? 왜일까?

B | 다음 빈칸을 채워 문장을 완성해 보세요.

1 좀 더 잘하고 싶으니 앞으로도 열심히 하겠습니다.

もっと上手になりたいので、これからも _______________ 。

2 결혼해도 이 일은 계속할 것이다.

結婚してもこの仕事は _______________ 。

3 공부한 것을 잊지 않도록 바로 메모해 두겠습니다.

勉強したことを _______________ 、すぐにメモしておきます。

4 가구는 지진이 일어나도 쓰러지지 않도록 벽에 고정하는 것이 좋다.

家具は、地震が起こっても _______________ 、壁に固定したほ
うがいい。

5 내일은 시험이니 늦잠 자지 않도록 오늘은 일찍 자겠습니다.

明日は試験なので、 _______________ 今日は早く寝ます。

51

ロボットの烈子

로봇 레츠코

친구의 결혼식에 하객으로 참석하게 된 레츠코. 축하의 뜻으로 축의금을 3만 엔이나 준비해 가지만, 온갖 고생을 해서 번 돈이라 손이 봉투에서 좀처럼 떨어지지 않습니다. 그리고 회사에서 레츠코는 축의금이 너무 비싸서 이제 식비까지 줄여야 한다고 투덜거립니다. 결혼한 두 사람이 잘 살라는 의미에서 3만 엔을 내는 거라고 가바에가 다독이지만, 촌철살인의 달인 페네코는 역시나 축의금 관습 마저도 비판으로 썩둑 베어냅니다.

워밍업! **오늘 배울 표현** 오늘 등장하는 표현들입니다. 어떤 표현이 들어가야 할지 생각해 보세요.

* ＿＿＿＿＿＿＿＿＿ おめでとうございます。 결혼을 축하드립니다.

* ＿＿＿＿＿＿＿＿＿ の相場は３万円！ 축의금은 보통 3만 엔!

* 今月、＿＿＿＿＿＿＿＿＿ 厳しいよ……。 이번 달 식비를 줄이지 않으면 힘들 것 같아……

* ブライダル産業を＿＿＿＿＿＿＿＿＿ の方便。 웨딩 산업을 살찌우기만 하는 방편이죠.

烈子
레츠코

この度はおめでとうございます。❶
결혼을 축하드립니다.

受付
접수처

ありがとうございます。
고맙습니다.

受付
접수처

んんっ……両人とのご関係は!?
으으음……, 두 사람과의 관계는요?!

烈子
레츠코

新婦の友人でございます……!
신부의 친구입니다……!

烈子
레츠코

[ご祝儀の相場は３万円!❷ 私の血と涙がしみこんだ３万円! 正直渡したくない! 渡したくない!]
[축의금은 보통 3만 엔! 내 피와 눈물이 담긴 3만 엔! 솔직히 내고 싶지 않아! 내고 싶지 않다고!]

デス烈子
데스 레츠코

渡すかよぉぉお!
낼 것 같냐!

烈子
레츠코

ご祝儀３万円って高すぎない? 今月、食費削らないと厳しいよ……。❸
결혼 축의금으로 3만 엔은 너무 많지 않아? 이번 달 식비를 줄이지 않으면 힘들 것 같아…….

フェネ子
페네코

うちらの年齢だときついよね。私は有無を言わさず２万で済ませるけど。
우리 나이엔 좀 힘들지. 난 무조건 2만 엔으로 끝내지만.

烈子
레츠코

私も今度からそうしようかな。
나도 다음부터 그렇게 할까.

カバ恵
가바에

駄目よ～! ２は偶数で半分に割り切れるから、せっかくくっついた二人がパッカーンと別れちゃうって言うでしょ?
안 돼! 2는 짝수라서 반으로 나눠떨어지니까 간신히 결혼에 성공한 둘 사이가 빠지직 갈라진다고 하잖아?

烈子
레츠코

それみんな言いますけど……。
다들 그렇다고 하지만요…….

フェネ子
페네코

３万払っても、別れる奴は別れるし。
3만 엔 내도 헤어질 녀석들은 헤어지죠.

カバ恵
가바에

でも実際、式ってお金かかって大変なのよお……。
하지만 실제로 결혼식은 돈이 많이 들어서 힘들다고…….

フェネ子
페네코

ブライダル産業を肥え太らせるだけの方便。❹
웨딩 산업을 살찌우기만 하는 방편이죠.

❶ **この度はおめでとうございます。** 결혼을 축하드립니다.

결혼식 같은 곳에서 많이 들을 수 있는 인사입니다. 여기서 この度는 '어떤 일이 일어나는 때'를 의미하시요. 이 장면처럼 경사스러운 때에 맞춰서 인사나 축하를 할 때 사용한답니다. この度는라는 말은 꼭 결혼식만이 아니라 장례식에서 この度は誠に残念でなりません(이번에 참으로 유감입니다)이라고 인사할 수도 있습니다. 시상식 등에서 この度は直木賞の受賞、おめでとうございます(이번 나오키상 수상을 축하드립니다)라고 인사하거나, 여러 사업 관계에서 この度はお世話になりました(이번에 큰 신세를 졌습니다)라고 인사하기도 하고, 인사이동 후 새로운 부서에서 인사할 때도 빈번히 사용된답니다.

* A：今日からうちの部に新しい仲間が加わりました。 오늘부터 우리 부에 새로운 동료가 들어왔습니다.
　 B：この度営業部へ異動となりました、佐藤です。 이번에 영업부로 이동하게 된 사토입니다.

❷ **ご祝儀の相場は3万円！** 축의금은 보통 3만 엔!

일본어로 축의금은 ご祝儀라고 합니다. 축의금은 애니메이션에서 레츠코가 그랬듯 水引라는 장식 끈으로 묶은 봉투에 담아 전달합니다. 水引에는 여러 색이 있는데, 결혼식 같은 경사스러운 날에는 흰색과 빨간색, 금색과 빨간색, 금색과 은색 조합으로 맞추는 것이 좋습니다. 또한 여러 가닥의 끈으로 구성되는데 경사에는 5, 7가닥 등 홀수(奇数)로 된 것을 사용하고, 흉사에는 4, 6가닥 등 짝수(偶数)로 된 것을 사용합니다. 그뿐만 아니라 水引는 끈을 묶은 채로(結びきり) 전달하는데, 한번 묶으면 풀 수 없다는 의미에서 결혼 등 두 번 다시 반복하지 않길 바라는 행사 때 쓴답니다.

❸ **今月、食費削らないと厳しいよ……。** 이번 달 식비를 줄이지 않으면 힘들 것 같아…….

～ないと는 '～하지 않으면'이라는 뜻입니다. 이 장면에서는 ないと厳しい라고 나왔지만, ～ないと 뒤에 いけない, だめだ(～하면 안 된다) 등도 자주 나옵니다. 그러니 ～ないと 뒤에 아무 말도 나오지 않으면 いけない, だめだ 등이 생략된 것이라고 볼 수 있습니다. 예를 들어 혼잣말로 もう寝ないと(빨리 자야겠어)라고 한다면 '～해야겠어'라는 의도를 갖게 됩니다. 남에게 今日、君は大変だったから休まないと(오늘 넌 힘들었으니까 쉬어야 해)라고 말할 때는 '～해야 해'라는 뜻이 되지요.

★ 애니 속 패턴 익히기 1

❹ **ブライダル産業を肥え太らせるだけの方便。** 웨딩 산업을 살찌우기만 하는 방편이죠.

～だけ는 한도, 한정을 나타내며 '～뿐, ～만'이라는 뜻이 있습니다. 주로 객관적인 의도로 쓰여서 시간이나 어느 정도, 범위 등에 대해 말하는 사람의 감정은 드러나지 않습니다. 비슷한 의미로 주관적인 뉘앙스를 나타내려면 その店まで歩いて10分しか掛からないです(그 가게까지 걸어서 10분밖에 걸리지 않습니다)처럼 ～しか…ない(～밖에 …하지 않다)라는 표현을 쓰는 게 좋습니다.

★ 애니 속 패턴 익히기 2

오늘 배운 장면에서 뽑은 핵심 패턴으로 다양한 표현을 만들어보세요.

🎧 10-2.mp3

❶ 동사 + ないと   ~하지 않으면

1 早く**行かないと**遅刻してしまう。 빨리 가지 않으면 지각할 것이다.

2 最近インフルエンザが流行っているから、外に出る時は必ずマスクを**付けないと**いけません。 요즘 독감이 유행해서 밖에 나갈 때는 꼭 마스크를 착용하지 않으면 안 됩니다.

3 さっさと ___________ 冷めちゃいますよ。 빨리 먹지 않으면 식어버려요.

4 明日の朝は部活があるので6時に ___________ いけない。
내일 아침에는 동아리 활동이 있어서 6시에 일어나지 않으면 안 된다.

5 今すぐ ___________ もっと太っちゃいますよ。
지금 바로 운동하지 않으면 더 살이 찔 거예요.

❷ 동사 · 형용사 · 명사 + だけ   (한도, 한정의 의미로) ~뿐, ~만

1 アルバイトの休みは**月曜日だけ**です。 아르바이트를 쉬는 날은 월요일뿐입니다.

2 重くて**使いづらいだけ**のアプリはゴミでしかありません。
무겁고 사용하기 힘들 뿐인 앱은 쓰레기밖에 안 됩니다.

3 このダイエットは ___________ で、大した効果もありません。
이 다이어트는 위험하기만 할 뿐이고 별 대단한 효과도 없습니다.

4 このプリンは、混ぜて ___________ のプリンミックスの素で作りました。 이 푸딩은 섞어서 식히기만 하면 되는 푸딩 믹스 가루로 만들었습니다.

5 地震の被害は、前兆を ___________ で防げる。
지진 피해는 전조를 알아두기만 해도 막을 수 있다.

정답   ❶ 3 食べないと 4 起きないと 5 運動しないと   ❷ 3 危険なだけ 4 冷やすだけ 5 知っているだけ

문제를 풀며 오늘 배운 표현을 완벽히 내 것으로 만드세요.

A | 애니메이션 속 대화를 완성해 보세요.

烈子 ご祝儀３万円って ❶＿＿＿＿＿＿＿＿＿＿？ 今月、食費削らないと厳しいよ……。

결혼 축의금으로 3만 엔은 너무 많지 않아? 이번 달 식비를 줄이지 않으면 힘들 것 같아…….

フェ子 うちらの年齢だときついよね。私は ❷＿＿＿＿＿＿＿＿＿ ２万で済ませるけど。

우리 나이엔 좀 힘들지. 난 무조건 2만 엔으로 끝내지만.

烈子 私も ❸＿＿＿＿＿＿＿＿ かな。 나도 다음부터 그렇게 할까.

カバ恵 駄目よ〜！ ２は偶数で ❹＿＿＿＿＿＿＿＿ から、せっかくくっついた二人がパッカーンと別れちゃうって言うでしょ？

안 돼! 2는 짝수라서 반으로 나눠떨어지니까 간신히 결혼에 성공한 둘 사이가 빠지직 갈라진다고 하잖아?

烈子 それみんな言いますけど……。 다들 그렇다고 하지만요…….

フェ子 ３万払っても、別れる奴は別れるし。

3만 엔 내도 헤어질 녀석들은 헤어지죠.

カバ恵 でも実際、式って ❺＿＿＿＿＿＿＿＿ なのよお……。

하지만 실제로 결혼식은 돈이 많이 들어서 힘들다고…….

フェ子 ブライダル産業を肥え太らせるだけの方便。

웨딩 산업을 살찌우기만 하는 방편이죠.

B | 다음 빈칸을 채워 문장을 완성해 보세요.

1 빨리 가지 않으면 지각할 것이다.

早く＿＿＿＿＿＿＿＿＿＿ 遅刻してしまう。

2 요즘 독감이 유행해서 밖에 나갈 때는 꼭 마스크를 착용하지 않으면 안 됩니다.

最近インフルエンザが流行っているから、外に出る時は必ずマスクを＿＿＿＿＿＿＿＿＿＿ いけません。

3 아르바이트를 쉬는 날은 월요일뿐입니다.

アルバイトの休みは＿＿＿＿＿＿＿＿＿＿ です。

4 무겁고 사용하기 힘들 뿐인 앱은 쓰레기밖에 안 됩니다.

重くて＿＿＿＿＿＿＿＿＿＿ のアプリはゴミでしかありません。

5 지진 피해는 전조를 알아두기만 해도 막을 수 있다.

地震の被害は、前兆を＿＿＿＿＿＿＿＿＿＿ で防げる。

結婚と退職

결혼과 퇴직

갓 결혼한 친구가 이혼했다는 소식에, 레츠코는 이번에 낸 축의금을 언젠가 자기 결혼 때 받아내겠다고 이를 박박 갑니다. 결혼에 대해 생각하다가 문득 회사를 그만두는 가장 좋은 방법을 생각해 내게 되지요. 바로 결혼과 함께 퇴사하여 전업주부로 사는 것! 대번에 얼굴이 밝아진 레츠코는 하이다에게 나중에 결혼하게 되면 아내와 맞벌이를 하고 싶은지, 아내가 집에서 주부로 살길 바라는지 물어보지요. 내심 레츠코에게 마음이 있는 하이다는 레츠코의 과감한 질문에 괜히 가슴이 콩닥거립니다.

워밍업! 오늘 배울 표현 오늘 등장하는 표현들입니다. 어떤 표현이 들어가야 할지 생각해 보세요.

* ＿＿＿＿＿＿＿＿＿＿＿って手があった！ 회사를 관두는 방법이 있었어!

* 結婚したら＿＿＿＿＿＿＿＿＿に働いて欲しい？ 결혼하면 부인이 일했으면 좋겠어?

* それとも家に居て＿＿＿＿＿＿＿？ 아니면 집에 있으면 좋겠어?

* ずっと家にいてもらうよりは仕事を＿＿＿＿＿＿＿、お互いにいい刺激を……。 온종일 집에 있는 것보단 계속 일을 해서 서로 좋은 자극을…….

烈子
레츠코

[忘れてた。結婚して**会社を辞めるって手があった！**❶ 私に必要なのは、結婚を前提とした彼氏！]

[잊고 있었다. 결혼해서 회사를 관두는 방법이 있었어! 내게 필요한 건 결혼을 전제로 한 남자 친구!]

ハイ田
하이다

烈子！ お前何してたんだよ？

레츠코! 뭐 하고 있었어?

烈子
레츠코

何って……御飯食べてただけだよ。

뭐 하고 있었냐니…… 그냥 점심 먹고 있었는데.

ハイ田
하이다

ハア、こっちは超心配してたんだぞ？ フェネ子の奴が変なこと言うから……。

하아, 내가 얼마나 걱정했는데. 페네코가 이상한 말을 해서…….

烈子
레츠코

ねえ、ハイ田君ってさ、**結婚したら奥さんに働いて欲しい？**❷ それとも家に居て欲しい？❸

있잖아, 하이다는 말이지, 결혼하면 부인이 일했으면 좋겠어? 아니면 집에 있으면 좋겠어?

ハイ田
하이다

えっ!? いや、いきなりそんなこと聞かれても……。

뭐?! 아니. 갑자기 그런 걸 물어보면…….

ハイ田
하이다

うーん、そうだな……。俺は外で働いて欲しいかなあ。俺の稼ぎだけじゃ不安ってのもあるし、それに**ずっと家にいてもらうよりは仕事を続けてもらって、お互いにいい刺激を……。**❹

음, 그러네……. 나는 계속 일했으면 좋겠어. 내 벌이만으로는 불안하기도 하고, 그리고 온종일 집에 있는 것보단 계속 일을 해서 서로 좋은 자극을…….

ハイ田
하이다

あれっ？ 烈子!?

어어? 레츠코?!

❶ **会社を辞める**って手があった! 회사를 관두는 방법이 있었어!

会社を辞める는 '회사를 그만두다'라는 뜻입니다. 퇴직 의사를 말할 때 突然で申し訳ありません。一身上の都合で退職させていただきたく、お時間をいただきました(갑자기 죄송합니다. 개인 사정으로 퇴직하고자 이렇게 잠시 시간을 내달라는 부탁을 드렸습니다)라고 말하는 게 좋습니다. 참고로 退職願는 회사에 퇴직을 타진하는 데 쓰는 서류로 쉽게 말해 사직서지요. 退職届는 퇴직 승낙을 받고 제출하는 서류입니다.

* A : 突然で申し訳ありません。一身上の都合で退職させていただきたく、お時間をいただきました。 갑자기 죄송합니다. 개인 사정으로 퇴직하고자 이렇게 잠시 시간을 내달라는 부탁을 드렸습니다.

  B : そうか。今辞められたら困るんだけどなあ。何かきっかけでもあったの？
  그래. 지금 그만두면 곤란한데 무슨 일이라도 있나?

  A : かねてから関心のあった教職に挑戦したいと思い、転職を決意した次第です。
  이전부터 관심이 있었던 교직에 도전하고 싶어서 이직을 결심했습니다.

❷ 結婚したら**奥さん**に働いて欲しい？ 결혼하면 부인이 일했으면 좋겠어？

일본에는 여성 배우자를 지칭하는 말이 참 많습니다. 奥さん을 포함하여 妻, 嫁, 女房, 家内, かみさん 등이 있는데, 비슷하면서도 뉘앙스가 다릅니다. 妻는 혼인신고서에도 적혀 있는 아주 일반적이고 무난한 호칭입니다. 嫁는 사전적으로는 '아들의 배우자'를 가리키는 말입니다. 남편의 부모가 며느리를 부를 때 그렇게 쓰지요. 그렇지만 갓 결혼한 여자나 신부를 지칭할 때도 있습니다. 嫁, 女房, かみさん은 서민 계층의 느낌이 많이 드는 단어여서 격식이 있는 자리에서는 사용하기 어렵습니다. 지식층에서는 배우자를 連れ合い라고 부르는 사람도 있어요.

❸ それとも家に居**て欲しい**？ 아니면 집에 있으면 좋겠어？

～て欲しい는 '～하길 바라다, ～하면 좋겠다'라는 뜻으로 상대방에게 어떤 일을 부탁하거나, 요구나 희망 혹은 어떤 현상이 일어나길 기대할 때 쓰는 표현입니다. 주로 남에게 뭔가를 해달라고 말할 때 쓰는데, 부정할 때는 ～ないで欲しい나 ～て欲しくない라고 쓰면 됩니다. 특히 ～ないで欲しい는 ～しないでください(～하지 마세요)와 같은 뉘앙스로 쓰입니다. ～て欲しい와 비슷한 표현으로 ～てもらいたい가 있는데, 애니메이션 속 대사를 응용해 본다면 家に居てもらいたい(집에 있으면 좋겠다)처럼 쓸 수 있어요.

★ 애니 속 패턴 익히기 1

❹ ずっと家にいてもらうよりは仕事を続け**てもらって**、お互いにいい刺激を……。
온종일 집에 있는 것보단 계속 일을 해서 서로 좋은 자극을……．

～てもらう는 '～해주다'라는 뜻으로, 상대방으로부터 어떤 행위의 결과를 받을 때 사용하지요. 누군가에게 어떤 일을 부탁하고, 그 행위에 대해 감사의 마음을 드러낼 때 쓰는 표현입니다. 참고로 ～てもらう는 내가 부탁하여 행위가 발생하는 반면, ～てくれる는 남의 행위 덕분에 내 입장에서 보면 고맙다는 사실에만 중점을 두지요.

★ 애니 속 패턴 익히기 2

오늘 배운 장면에서 뽑은 핵심 패턴으로 다양한 표현을 만들어보세요.

🎧 11-2.mp3

❶ 동사 + て欲しい　　　　　　　〜하길 바라다, 〜해주면 좋겠다

1 みんなにここの素晴らしさを**知って欲しい**です。　모두가 이곳이 얼마나 멋진지 알기 바랍니다.

2 帰る時でもいいから、牛乳を**買ってきて欲しい**んだけど。　돌아올 때라도 좋으니 우유 좀 사 오면 좋겠는데.

3 うちの娘には名門高校に ＿＿＿＿＿＿＿＿＿＿ と思っています。
우리 딸이 명문 고교에 들어가길 바랍니다.

4 ちょっとこの英語の意味を ＿＿＿＿＿＿＿＿＿＿ んですけど。
잠시 이 영어의 의미를 가르쳐주면 좋겠는데요.

5 今忙しいから、ちょっと ＿＿＿＿＿＿＿＿＿＿ んだけど。　지금 바쁘니까 좀 도와주면 좋겠는데.

❷ 동사 + てもらう　　　　　　　　　　(상대방이) 〜을 해주다

1 私は友達に教科書を**貸してもらった**。　나는 친구한테 교과서를 빌렸다.

2 よくわからない問題があったので、先生に**見てもらいました**。
잘 모르는 문제가 있어서 선생님이 봐주셨습니다.

3 先輩に仕事を ＿＿＿＿＿＿＿＿＿＿ 、仕事を早く終わらせることができた。
선배가 도와줘서 일을 빨리 끝낼 수 있었다.

4 家に遅く帰ることになったので、代わりに弟に夕飯の ＿＿＿＿＿＿＿＿＿＿ 。
집에 늦게 돌아가게 되어서, 대신 남동생이 저녁 준비를 해주었습니다.

5 医者に症状を ＿＿＿＿＿＿＿＿＿＿ から、手術の日程を決めた。
의사가 증상을 진찰해 주어서 수술 일정을 잡았다.

정답　❶ **3**行って欲しい　**4**教えて欲しい　**5**手伝って欲しい
　　❷ **3**手伝ってもらって　**4**準備をしてもらいました　**5**診てもらって

문제를 풀며 오늘 배운 표현을 완벽히 내 것으로 만드세요.

A | 애니메이션 속 대화를 완성해 보세요.

烈子 [忘れてた。結婚して会社を辞めるって手があった！ 私に必要なのは、❶＿＿＿＿＿＿＿＿＿＿彼氏！]

[잊고 있었다. 결혼해서 회사를 관두는 방법이 있었어! 내게 필요한 건 결혼을 전제로 한 남자 친구!]

ハイ田 烈子！ お前何してたんだよ？　레츠코! 뭐 하고 있었어?

烈子 何って……御飯食べてただけだよ。

뭐 하고 있었냐니…… 그냥 점심 먹고 있었는데.

ハイ田 ハア、こっちは超心配してたんだぞ？ フェネ子の奴が ❷＿＿＿＿＿＿＿＿＿＿……。

하아, 내가 얼마나 걱정했는데. 페네코가 이상한 말을 해서…….

烈子 ねえ、ハイ田君ってさ、結婚したら奥さんに働いて欲しい？ それとも家に居て欲しい？

있잖아, 하이다는 말이지, 결혼하면 부인이 일했으면 좋겠어? 아니면 집에 있으면 좋겠어?

ハイ田 えっ!? いや、❸＿＿＿＿＿＿＿＿＿＿……。

뭐? 아니, 갑자기 그런 걸 물어보면…….

ハイ田 うーん、そうだな……。俺は外で働いて欲しいかなあ。❹＿＿＿＿＿不安ってのもあるし、それにずっと家にいてもらうよりは仕事を続けてもらって、❺＿＿＿＿＿＿＿……。

음, 그러네……. 나는 계속 일했으면 좋겠어. 내 벌이만으로는 불안하기도 하고, 그리고 온종일 집에 있는 것보단 계속 일을 해서 서로 좋은 자극을…….

정답 A

❶ 結婚を前提と
　した
❷ 変なこと言う
　から
❸ いきなりそんな
　こと聞かれても
❹ 俺の稼ぎだけ
　じゃ
❺ お互いにいい
　刺激を

B | 다음 빈칸을 채워 문장을 완성해 보세요.

1 모두가 이곳이 얼마나 멋진지 알기 바랍니다.

　みんなにここの素晴らしさを＿＿＿＿＿＿＿＿です。

2 돌아올 때라도 좋으니 우유 좀 사 오면 좋겠는데.

　帰る時でもいいから、牛乳を＿＿＿＿＿＿＿んだけど。

3 나는 친구한테 교과서를 빌렸다.

　私は友達に教科書を＿＿＿＿＿＿＿。

4 잘 모르는 문제가 있어서 선생님이 봐주셨습니다.

　よくわからない問題があったので、先生に＿＿＿＿＿＿＿。

5 집에 늦게 돌아가게 되어서, 대신 남동생이 저녁 준비를 해주었습니다.

　家に遅く帰ることになったので、代わりに弟に夕飯の＿＿＿＿＿＿＿＿＿＿＿＿。

정답 B

1 知って欲しい
2 買ってきて欲しい
3 貸してもらった
4 見てもらいました
5 準備をしてもら
　いました

ヨガ教室

요가 학원

레츠코는 퇴직을 위해 남자 친구를 사귀어보겠다는 결심을 합니다. 쓰노다와 이야기를 나누다가 조금 더 날씬해지고 싶다고 이야기하죠. 남자들한테 인기 얻고 싶어서 그러는 거냐고 대번에 정곡을 찌르는 쓰노다의 말에 레츠코는 그냥 예뻐지고 싶은 거라고 더듬더듬 핑계를 댑니다. 레츠코의 포동포동한 모습이 귀엽다며 은근히 속을 긁는 쓰노다의 말에 레츠코는 살을 빼겠다고 더욱 굳게 다짐합니다. 그리고 요가 학원 앞에서 망설이게 됩니다.

워밍업! 오늘 배울 표현 　오늘 등장하는 표현들입니다. 어떤 표현이 들어가야 할지 생각해 보세요.

* ＿＿＿＿＿＿＿＿＿＿＿ ことですか!?　남자에게 인기 얻고 싶은 거예요?!

* 普通にきれいに ＿＿＿＿＿＿＿＿＿＿＿＿＿……。　평범하게 예뻐지고 싶달까…….

* まあ…… ＿＿＿＿＿＿＿＿＿＿＿。　뭐…… 그냥 남들만큼.

* あれは、明らかに ＿＿＿＿＿＿＿＿＿＿＿って意味だよね……。
그거 대놓고 살 빼라는 뜻이잖아…….

角田
쓰노다

え〜先輩はそのままでも十分可愛いと思いますけど。

어, 선배는 지금도 충분히 귀여운 거 같은데요.

烈子
레츠코

うーん……でも、もう少しスリムになったほうがいいかなって。

응……, 하지만 조금 더 날씬해지는 게 좋을 것 같아서.

角田
쓰노다

あっ、**モテたいってことですか!？** ❶

아, 남자에게 인기 얻고 싶은 거예요?!

烈子
레츠코

ああ……いや、あの……**普通にきれいになりたいっていうか……。** ❷

아아……, 아니. 그냥…… 평범하게 예뻐지고 싶달까…….

角田
쓰노다

あっ、普通にモテたいってことですか？

아하, 평범하게 인기를 얻고 싶다는 거예요?

烈子
레츠코

はあ……**まあ……人並みに。** ❸

아아……, 뭐…… 그냥 남들만큼.

角田
쓰노다

でも〜先輩ってぽにゃっとしてるから、見てるほうは何か安心するし、二の腕もプニプニっとしてて赤ちゃんみたいだし、そのままの感じでもぜーったいモテますよ〜。

근데 선배는 통통해서 보고 있으면 뭔가 안심되고, 팔뚝도 탱글탱글해서 아기 같고, 지금 이 모습 그대로도 분명 인기 있을 거예요.

烈子
레츠코

[**あれは、明らかに痩せろって意味だよね……。** ❹]

[그거 대놓고 살 빼라는 뜻이잖아…….]

烈子
레츠코

うーん……やっぱ今日はいいや……。

으음……. 역시 오늘은 됐어…….

烈子
레츠코

す……すいません！

죄…… 죄송해요!

先生
선생님

……。

…….

烈子
레츠코

[このフロア、ボディービル教室もあるのかな？]

[이 층에 보디빌딩 학원도 있나?]

先生
선생님

プロテイン？

단백질?

❶ **モテ**たいってことですか！？　남자에게 인기 얻고 싶은 거예요?!

モテる는 '이성에게 인기가 많다'라는 뜻입니다. 男性にモテる女性(남자에게 인기가 많은 여자)와 같은 식으로 쓰지요. 자주 쓰이는 말인 만큼 응용 표현도 다양합니다. 예를 들어, モテモテ는 '아주 인기가 많은'이라는 뜻이고, 드라마 같은 매체에서 자주 접할 수 있는 モテ期는 '인생에서 갑자기 이성에게 호감을 얻고 인기가 많은 시기'라는 뜻이랍니다.

＊ 彼はイケメンではないけど、優しい言動のおかげで女の人たちにとても**モテる**。
　　그는 미남은 아니지만 자상한 언동 덕분에 여자들에게 아주 인기가 많다.

＊ 母はいつも、自分が若かったころはすごく**モテた**と言っています。
　　어머니는 항상 당신이 젊은 시절에 아주 인기가 많았다고 말씀하십니다.

❷ 普通にきれいになりたい**っていうか**……。　평범하게 예뻐지고 싶달까…….

～っていうか는 '～라고 해야 할까, ～라기보다는'의 뜻으로 사용되는 표현입니다. ～というか라고 할 때도 있지요. 구어적으로는 ～ってか, ～つーか라고 줄여 말하기도 합니다. 자신이 앞서 한 말을 다시 바꿔 말하는 뉘앙스지요. 그래서 ～っていうか、…だと思います라고 말하면, 상황에 따라 듣는 사람은 자신이 제기한 의견을 부정당한 느낌이 들 수도 있습니다. 그래서 연장자, 선배, 상사 등 윗사람에게는 쓰지 않는 편이 좋답니다.

★ 애니 속 패턴 익히기 1

❸ まあ……**人並み**に。　뭐…… 그냥 남들만큼.

人並み는 '일반 사람들과 능력, 생활 수준이 비슷하거나 보통인'이라는 뜻입니다. 人並みに, 人並みの, 人並みで 등으로 활용할 수 있지요. 또한 人並み優れる(능력 등이 평범한 사람보다 뛰어나다), 人並み外れる(능력 등이 평범한 인간의 수준을 완전히 벗어나다)라는 표현도 함께 알아두면 대화의 폭이 넓어질 거예요.

＊ あの人はお金持ちだから、**人並み**に働く必要がない。　그 사람은 부자니까 남들처럼 일할 필요가 없다.

＊ 一人暮らしをしたことがあるので、家事は**人並み**にできます。
　　혼자 자취한 적이 있어서 집안일은 남들만큼 할 수 있습니다.

❹ あれは、明らかに**痩せろ**って意味だよね……。　그거 대놓고 살 빼라는 뜻이잖아…….

痩せろ는 痩せる(살을 빼다)의 명령 표현입니다. 명령형은 상대방을 강제하는 말투여서 강도의 협박이나 군대 상관의 지시 등에서 들을 수 있지요. 일상생활에서 명령조의 말투를 너무 자주 쓰면 다른 이들의 호감을 얻기 어렵습니다. 그래서 남에게 어떤 행동을 시킬 때 굳이 명령형을 쓰기보다는 ～て下さい(～해 주세요)와 같은 의뢰의 의미를 담은 표현을 쓰는 편이 더 무난하답니다.

★ 애니 속 패턴 익히기 2

오늘 배운 장면에서 뽑은 핵심 패턴으로 다양한 표현을 만들어보세요.

🎧 12-2.mp3

❶ 동사 · 형용사 · 명사 + っていうか

~라고 해야 할까, ~라기보다는

1 こんな日に山に登るなんて、**無茶しすぎてるっていうか**、どうかしてる。

이런 날에 등산은 너무 무모한 짓이라고 해야 할까, 제정신이 아니다.

2 **学校全体のためにっていうか**、正直に言って君のためだ。

학교 전체를 위해서라고 할까, 솔직히 말해서 자네를 위해서야.

3 この料理は、________________________、今まで食べたこともない味だ。

이 요리는 희귀하다고 해야 할까, 지금까지 먹어본 적 없는 맛이다.

4 ブランド物のバッグが________________________、外出するときもう少しお
しゃれがしたいんです。 명품백을 갖고 싶다기보다는 외출할 때 좀 멋을 부리고 싶어서예요.

5 彼は、________________________、お節介ですよね。

그는 친절하다 해야 할까, 참견이 많은 사람인 것 같아요.

❷ 동사의 명령형(~해라)

- 1단 동사(사전형이 ~i＋る, ~e＋る) → 예：たべ**る**ろ, み**る**ろ
- 5단 동사(사전형이 ~a＋る, ~u＋る, ~o＋る, ~る로 끝나지 않는 동사)
  → 예：か**く**け, い**う**え, と**る**れ
- 불규칙 동사 → 예：する→しろ, くる→こい

1 時間がないんだぞ。ほら、さっさと**書け**！ 시간이 없어. 자, 빨리 써!

2 すぐに追いかけるから、さあ**乗れ**！ 바로 쫓아갈 테니까 자, 어서 타!

3 もう朝6時だ。はやく________________________！

벌써 아침 6시야. 빨리 일어나!

4 風邪を引いたって？ ならさっさと________________________！

감기에 걸렸다고? 그럼 빨리 잠이나 자!

5 うるさい！________________________！ 시끄러워! 조용히 해!

문제를 풀며 오늘 배운 표현을 완벽히 내 것으로 만드세요.

A | 애니메이션 속 대화를 완성해 보세요.

角田 え～先輩はそのままでも十分可愛いと思いますけど。
어, 선배는 지금도 충분히 귀여운 거 같은데요.

烈子 うーん……でも、❶＿＿＿＿＿＿＿＿＿＿＿＿ なったほうがいいかなって。 응……, 하지만 조금 더 날씬해지는 게 좋을 것 같아서.

角田 あっ、❷＿＿＿＿＿＿＿＿＿＿＿ ってことですか!? 아, 남자에게 인기 얻고 싶은 거예요?!

烈子 ああ……いや、あの……普通にきれいになりたいっていうか……。 아아……, 아니, 그냥…… 평범하게 예뻐지고 싶달까…….

角田 あっ、❸＿＿＿＿＿＿＿＿＿ モテたいってことですか？ 아하, 평범하게 인기를 얻고 싶다는 거예요?

烈子 はあ……まあ……人並みに。 아아……, 뭐…… 그냥 남들만큼.

角田 でも～先輩ってぽにゃっとしてるから、見てるほうは何か安心するし、二の腕もプニプニっとしてて❹＿＿＿＿＿＿＿＿＿ だし、❺＿＿＿＿＿＿＿＿＿ の感じでもぜーったいモテますよ～。
근데 선배는 통통해서 보고 있으면 뭔가 안심되고, 팔뚝도 탱글탱글해서 아기 같고, 지금 이 모습 그대로도 분명 인기 있을 거예요.

烈子 ［あれは、明らかに痩せろって意味だよね……。］
［그거 대놓고 살 빼라는 뜻이잖아…….］

B | 다음 빈칸을 채워 문장을 완성해 보세요.

1 이런 날에 등산은 너무 무모한 짓이라고 해야 할까, 제정신이 아니다.

こんな日に山に登るなんて、＿＿＿＿＿＿＿＿＿＿＿＿、どうかしてる。

2 학교 전체를 위해서라고 할까, 솔직히 말해서 자네를 위해서야.

＿＿＿＿＿＿＿＿＿＿＿、正直に言って君のためだ。

3 그는 친절하다 해야 할까, 참견이 많은 사람인 것 같아요.

彼は、＿＿＿＿＿＿＿＿＿＿＿、お節介ですよね。

4 시간이 없어. 자, 빨리 씨!

時間がないんだぞ。ほら、さっさと＿＿＿＿＿＿＿＿＿＿！

5 바로 쫓아갈 테니까 자, 어서 타!

すぐに追いかけるから、さあ＿＿＿＿＿＿＿＿＿！

정답 A

❶ もう少しスリムに
❷ モテたい
❸ 普通に
❹ 赤ちゃんみたい
❺ そのまま

정답 B

1 無茶しすぎてるっていうか
2 学校全体のためにっていうか
3 親切っていうか
4 書け
5 乗れ

ヨガを始めた理由

요가를 시작한 이유

레츠코가 빠진 페네코와 하이다의 술자리. 하이다는 요즘 레츠코가 예전처럼 함께 술을 마시지도 않고, 은근 자기들을 멀리하는 것 같아서 시무룩합니다. 레츠코에게 마음이 있는 하이다는 레츠코가 변한 이유가 남자 친구가 생겨서 그런 게 아니냐며 의심합니다. 하지만 냉철하고 정보 수집 능력이 탁월한 페네코는 SNS 검색과 퇴근길 분석을 통해 레츠코가 아마도 요가 학원을 다니는 것 같다는 놀라운 추리력을 선보이지요.

 **워밍업! 오늘 배울 표현** 오늘 등장하는 표현들입니다. 어떤 표현이 들어가야 할지 생각해 보세요.

*   壁作ってくるとこあるよなあ。 왠지 우리한테 거리를 두는 것 같아.

* その度にハイ田のやけ酒に   こっちの身にもなってよね。
그럴 때마다 하이다 너의 홧술에 같이 어울려주는 내 입장도 돼보라고.

*   ない？ 레츠코 같지 않아?

ハイ田
하이다

烈子ってさあ、**何か壁作ってくるとこあるよなあ。**❶
레츠코가 왠지 우리한테 거리를 두는 것 같아.

フェネ子
페네코

まあね。
그럴지도 모르지.

ハイ田
하이다

３回連続で飲み会断られると、さすがに心折れるわ。ハア～。
세 번이나 연속으로 술 마시자는 제안을 거절당하니까 역시 마음이 아프네. 하아…….

フェネ子
페네코

その度にハイ田のやけ酒に付き合わされるこっちの身にもなってよね。❷
그럴 때마다 하이다 너의 홧술에 같이 어울려주는 내 입장도 돼보라고.

ハイ田
하이다

何なんだよ、烈子の「用事」って。まさか、男とかじゃねえだろうな？
레츠코의 '볼일'은 도대체 뭐야. 설마 남자가 있는 건 아니겠지?

フェネ子
페네코

多分違う。
아닌 것 같은데.

ハイ田
하이다

それ、烈子に聞いたのか？
그거 레츠코한테 들은 거야?

フェネ子
페네코

あの子、自分のことあんまり話さないでしょ。私も聞かないし。
걔는 자기 얘기 별로 안 하잖아. 나도 안 물어보고.

ハイ田
하이다

ただの憶測ってことか。
그냥 억측이라는 거잖아.

フェネ子
페네코

推理だよ。
추리한 거지.

ハイ田
하이다

あ？ 誰だよ、これ。
어? 이건 누군데?

フェネ子
페네코

知らない人がヨガ教室で撮った写真。後ろに写ってるの、**烈子っぽくない？**❸
모르는 사람이 요가 학원에서 찍은 사진이야. 뒤에 찍힌 사람, 레츠코 같지 않아?

ハイ田
하이다

どういうことだ？
어떻게 된 일이야?

フェネ子
페네코

烈子って会社を出たら、普通、駅に直行すんの。でも、週に２回だけ、駅の
反対方向に向かうんだよね。つまり、会社近辺のどっかに通ってる。それが
週に２回。習い事の可能性大。
레츠코는 회사를 나오면 보통 역으로 직행해. 하지만 일주일에 두 번은 역 반대쪽으로 간단 말이지. 즉, 회사 근처 어딘가에
다니고 있어. 그런 일이 주 2회니까 뭔가 배우고 있을 가능성이 높아.

장면 파헤치기

구문 설명과 예문으로 이 장면의 핵심 표현을 완벽히 이해하세요.

❶ 何か壁作ってくるとこあるよなあ。 왠지 우리한테 거리를 두는 것 같아.

애니메이션에서는 좀 길게 늘이는 발음이었지만, なんか는 なにか(어쩐지, 왠지)의 준말입니다. '원인이나 이유를 정확히 알 수는 없지만 왠지 ~라고 생각해'라는 의미지요. なんか는 주로 감정을 표현하는 말이나 ~てくる(~해진다), ~と感じる(~라고 느껴진다), ~ような気がする(~인 것 같다)라는 말과 함께 쓰인다는 점도 꼭 알아두세요. 의미가 비슷한 표현으로 なにやら나 どういうわけか가 있는데 なんか를 대신해서 쓸 수 있답니다.

* 音楽が聞こえてきたら、**何か**気分が楽しくなってきた。 음악이 들리니까 어쩐지 즐거워지네.
* ここ、**何か**怖いね。幽霊でも出てきそうだ。 여기 어쩐지 좀 무섭다. 유령이라도 나올 것만 같아.

❷ その度にハイ田のやけ酒に付き合わされるこっちの身にもなってよね。
그럴 때마다 하이다 너의 홧술에 같이 어울려주는 내 입장도 돼보라고.

일본어에서 ~れる/られる는 수동의 의미로 사용된다는 걸 잘 알고 있을 겁니다. 그런데 이 대사는 남의 동작을 (주어의 의지와 상관없이) 주어가 받기만 하는 수동의 의미라고만 보기에는 뭔가 좀 다르지요? 어쩐지 하이다의 홧술에 매번 같이 어울려야 해서 힘들어 죽겠다는 페네코의 답답한 감정이 느껴지지 않나요? 이렇게 수동형 문장에 감정의 뜻을 더한 것이 '(주어가 느끼는) 피해'라는 의미를 포함한 사역 수동 표현 ~される/させられる(~해지다, ~하게 되다)입니다. 즉, '주어가 사실은 어떤 행동을 하고 싶지 않은데 누군가의 명령이나 지시에 따라 어쩔 수 없이 하게 된다'라는 뜻이지요. 바로 여기서 주어가 느끼는 피해의 감정이 드러나게 됩니다.

★애니 속 패턴 익히기 1

❸ 烈子っぽくない? 레츠코 같지 않아?

여기서는 ~っぽい의 여러 가지 쓰임새와 패턴에 대해 공부해 봅시다. 애니메이션에 나온 ~っぽく의 기본형 ~っぽい는 '~처럼 보이는, ~인 듯한'이라는 뜻입니다. '원래는 ~가 아니겠지만 ~처럼 보인다'는 뉘앙스로 사용되지요. 비슷한 의미로 ~らしい가 있지만, 이는 '어떤 것의 성질을 전형적으로 나타내는 쪽으로 봐서 ~같다'라는 뜻입니다. ~っぽい와 관련하여 飽きっぽい人(잘 질리는 사람)처럼 사람의 성격을 표현할 때 '~하기 쉬운 사람'이라는 뜻, 혹은 脂っぽい肉(기름진 고기)처럼 '~을 많이 머금은, 포함한'이라는 뜻으로 활용할 수도 있습니다.

★애니 속 패턴 익히기 2

오늘 배운 장면에서 뽑은 핵심 패턴으로 다양한 표현을 만들어보세요.

🎧 13-2.mp3

❶ 사역 수동 ～される/させられる (하기 싫은데 시켜서 할 수 없이) ～하다

- 1단 동사(사전형이 ～i +る, ～e +る) → 예 : いるさせられる, たべるさせられる
- 5단 동사(사전형이 ～a +る, ～u +る, ～o +る, ～る로 끝나지 않는 동사)
  → 예 : かくかされる, あそぶばされる
- 불규칙 동사 → 예 : する → させられる, くる → こさせられる

1 彼女が遅刻したせいで、彼は１時間も**待たされた**。　그녀의 지각 때문에 그는 1시간이나 기다리게 됐다.

2 休みなので昼まで寝たかったのに、祖父に家の畑仕事を**手伝わされた**。

쉬는 날이어서 늦잠을 자고 싶었는데 (할아버지가 시켜서) 집의 밭일을 도왔다.

3 好き嫌いが激しかった私は、母に嫌いなトマトを無理やり ＿＿＿＿＿＿＿＿＿＿＿＿＿＿＿。

편식이 심한 나는 (어머니가 시켜서) 싫어하는 토마토를 억지로 먹었습니다.

4 その学生は、TOEIC試験に合格するために、先生にたくさんの英単語を

＿＿＿＿＿＿＿＿＿＿＿＿＿。　그 학생은 TOEIC 시험 합격을 위해 (선생님이 시켜서 할 수 없이) 영어 단어를 많이 외웠다.

5 彼女はたくさん遊びたい年頃なのに、プロゴルファーになるための厳しい

＿＿＿＿＿＿＿＿＿＿＿＿＿。　많이 놀고 싶은 나이인데 그녀는 프로 골프 선수가 되기 위해 혹독한 연습을 하게 됐습니다.

❷ 동사·명사 + っぽい

～인 듯한, ～하기 쉬운 사람, ～을 많이 포함한

1 **それっぽく**言っても仕方ないことは仕方ない。　그럴듯하게 말해도 어쩔 수 없는 건 어쩔 수 없다.

2 聞いた？ 100周年記念**パーティをするっぽい**よ。　들었어? 100주년 기념 파티를 연다는 듯하더라.

3 彼は ＿＿＿＿＿＿＿＿＿＿ 性格のせいで、いつもトラブルに巻き込まれてる。

그는 화를 잘 내는 성격 때문에 항상 문제에 휘말린다.

4 長年使ってない部屋なので ＿＿＿＿＿＿＿＿＿＿ なってしまった。

오랫동안 쓰지 않는 방이어서 먼지가 많이 쌓이고 말았다.

5 なんだか顔が ＿＿＿＿＿＿＿＿＿＿ けど、もしかしてどこか体でも悪いの？

어쩐지 얼굴에 열이 나는 것 같은데, 혹시 어디 몸이라도 안 좋니?

정답　❶ 3食べさせられました　4覚えさせられた　5練習をさせられました　❷ 3怒りっぽい　4埃っぽく　5熱っぽい

문제를 풀며 오늘 배운 표현을 완벽히 내 것으로 만드세요.

A | 애니메이션 속 대화를 완성해 보세요.

フェネ子 あの子、❶ _______________ でしょ。私も聞かないし。

개는 자기 얘기 별로 안 하잖아. 나도 안 물어보고.

ハイ田 ❷ _______________ ってことか。 그냥 억측이라는 거잖아.

フェネ子 推理だよ。 추리한 거지.

ハイ田 あ？ 誰だよ、これ。 어? 이건 누군데?

フェネ子 知らない人がヨガ教室で撮った写真。❸ _______________ 、
❹ _______________ ？

모르는 사람이 요가 학원에서 찍은 사진이야. 뒤에 찍힌 사람, 레츠코 같지 않아?

ハイ田 どういうことだ？ 어떻게 된 일이야?

フェネ子 烈子って会社を出たら、普通、駅に直行すんの。でも、
❺ _______________ 、駅の反対方向に向かうんだよね。つま
り、会社近辺のどっかに通ってる。それが週に２回。習い
事の可能性大。

레츠코는 회사를 나오면 보통 역으로 직행해. 하지만 일주일에 두 번은 역 반대쪽으로 간단 말이지. 즉,
회사 근처 어딘가에 다니고 있어. 그런 일이 주 2회니까 뭔가 배우고 있을 가능성이 높아.

❶ 自分のことあん
まり話さない

❷ ただの憶測

❸ 後ろに写ってるの

❹ 烈子っぽくない

❺ 週に２回だけ

B | 다음 빈칸을 채워 문장을 완성해 보세요.

1 그녀의 지각 때문에 그는 1시간이나 기다리게 됐다.

彼女が遅刻したせいで、彼は１時間も _______________ 。

2 쉬는 날이어서 늦잠을 자고 싶었는데 (할아버지가 시켜서) 집의 밭일을 도왔다.

休みなので昼まで寝たかったのに、祖父に家の畑仕事を _______________
_______________ 。

3 많이 놀고 싶은 나이인데 그녀는 프로 골프 선수가 되기 위해 혹독한 연습을 하게 됐습니다.

彼女はたくさん遊びたい年頃なのに、プロゴルファーになるための
厳しい _______________ 。

4 그럴듯하게 말해도 어쩔 수 없는 건 어쩔 수 없다.

_______________ 言っても仕方ないことは仕方ない。

5 들었어? 100주년 기념 파티를 연다는 듯하더라.

聞いた？ 100周年記念 _______________ よ。

1 待たされた

2 手伝わされた

3 練習をさせられ
ました

4 それっぽく

5 パーティをする
っぽい

先生のアドバイス

선생님의 조언

오늘도 열리지 않는 쓰보네의 쓰쿠다니 병. 경리부의 힘 좋은 남자 직원들이 쓰쿠다니 병을 열기 위해 애를 쓰지만 아무도 열지 못합니다. 심술궂은 쓰보네는 레츠코를 괴롭히려고 꽉 닫힌 병을 들이밀지만, 레츠코는 근육 불끈 요가 선생님의 강습 덕분에 쉽게 뚜껑을 엽니다. 그 모습에 경리부 직원들은 모두 충격을 받고 말지요. 한편, 릴라는 레츠코가 자꾸만 자신들과 거리를 두는 것 같아 우울해합니다.

 **워밍업!** **오늘 배울 표현** 오늘 등장하는 표현들입니다. 어떤 표현이 들어가야 할지 생각해 보세요.

* ＿＿＿＿＿＿＿＿＿＿の佃煮 。 열리지 않는 쓰쿠다니 병.

* きっと ＿＿＿＿＿＿＿＿＿＿＿のあなたなら出来るわ……。
  분명 뭐든 열심히 하는 너라면 할 수 있을 것 같은데…….

* アーサー王 ＿＿＿＿＿＿＿＿＿＿＿＿＿ 。 아서왕 같더라.

ヤギュウ
야규

駄目だ……。

안 되겠어…….

大上
오오카미

あ、俺やるっす。ふっ……うお……固って！ マジ開かねっすよ、これ。

제가 해볼게요. 흐읍…… ㅇㅇㅇ…… 뻑뻑해요! 이거 진짜 안 열리네요.

フェネ子
페네코

坪根の**開かずの佃煮。** ❶

쓰보네의 열리지 않는 쓰쿠다니 병.

ハイ田
하이다

まだ開いてなかったのか、あれ。

아직도 안 열렸네, 저거.

坪根
쓰보네

あら～烈子さん、ちょうどいいとこに来たわ～！ 悪いけど、この佃煮の瓶開けてもらってもいい？ ものすご～く固いけど。**きっと頑張り屋さんのあなたなら出来るわ……。** ❷

어머나, 레츠코 씨, 딱 좋을 때 왔네! 미안하지만 이 쓰쿠다니 병 좀 열어주겠어? 엄청 단단하게 닫혀 있다고. 분명 뭐든 열심히 하는 너라면 할 수 있을 것 같은데…….

烈子
레츠코

あっ、開きました。

아, 열렸어요.

坪根
쓰보네

あああ……！

아아악……!

ハイ田
하이다

烈子、お前すげえな。

레츠코, 너 대단하다!

烈子
레츠코

えっ？ 何で？

응? 왜?

ハイ田
하이다

アーサー王みたいだったぞ。 ❸ ボディービルでも始めたのか？

아서왕 같더라. 보디빌딩이라도 시작한 거야?

烈子
레츠코

え～？

뭐어?

フェネ子
페네코

おかしいな、確かにヨガ教室の写真に写ってたのに。

이상하네. 분명 요가 학원 사진에 찍혔는데.

烈子
레츠코

何の話？

무슨 얘기야?

フェネ子
페네코

いやいや、こっちの話。

아니, 아니, 그냥 혼잣말이야.

73

장면 파헤치기

구문 설명과 예문으로 이 장면의 핵심 표현을 완벽히 이해하세요.

❶ 開かずの佃煮。 열리지 않는 쓰쿠다니 병.

開かずの佃煮는 開かずの間(금기 등으로 평소에 열지 않는 방), 開かずの踏切(차단기가 오랫동안 내려가 있어 보행자나 차가 지나가지 못하는 건널목) 등에서 나온 일종의 패러디 표현입니다. ~ず(に)는 동사 ない형 뒤에 붙어서 부정의 뜻을 만들어냅니다. 예를 들어, 食わない(먹지 않는다)가 食わずに(먹지 않고)로 변하는 방식입니다. する가 붙은 동사는 ~せずに라고 쓰고요. 자주 접하는 부정 표현인 ~ないで와 같은 뜻이지만 ~ず(に)가 조금 더 딱딱한 뉘앙스여서 주로 문어체로 쓴다는 점도 꼭 알아두세요.

★ 내 속 패턴 익히기 1

❷ きっと頑張り屋さんのあなたなら出来るわ……。 분명 뭐든 열심히 하는 너라면 할 수 있을 것 같은데…….

頑張り屋는 '아무리 힘들어도 고난에 지지 않고 힘내는 사람'을 의미합니다. 어떤 일을 해내기 위해 끝까지 자기 의지를 관철하는 사람이지요. '어떤 일에 진심과 최선을 다해 힘쓴다'라는 긍정적인 뜻의 努力家(노력가)와 비슷한 뜻입니다. 이 외에도 일본어에서 ~屋가 붙어 사람의 기질이나 성격을 드러내는 표현이 많습니다. 대표적으로 気分屋(기분파), 気取り屋(젠체하는 사람), 寂しがり屋(외로움을 잘 타는 사람), 気むずかしがり屋(까다로운 사람) 등이 있답니다.

* あの社員は頑張り屋さんで、仕事もよくできます。 그 직원은 언제나 노력하고 일도 잘합니다.
* 彼は頑張り屋だから、きっと試験に合格できると思います。 그는 언제나 열심이어서 분명 시험에 합격할 거예요.

❸ アーサー王みたいだったぞ。 아서왕 같더라.

~みたい는 (실제로는 그렇지 않지만) 마치 ~와 비슷하다는 뉘앙스로 '~같다'라는 뜻입니다. ~みたい는 あの子たちはとても仲がよくて、まるで兄弟みたいだ(그 애들은 아주 사이가 좋아서 마치 형제 같다)와 같이 まるで(마치)와 함께 쓰일 때가 많으니 함께 익혀두는 게 좋습니다. ~みたい 대신 같은 의미로 ~ようだ도 쓸 수 있지만, ~みたい가 가족이나 친한 사람에게 쓸 수 있는 좀 더 일상적인 표현이라고 할 수 있습니다.

★ 내 속 패턴 익히기 2

🎧 14-2.mp3

❶ 동사 + ず(に)　　　　　　　　　　　　　　　　　　　　　　　～하지 않고

1 私たちは、その問題を解決するための方法を**探さず**にはいられなかった。
우리는 그 문제를 해결하기 위한 방법을 찾지 않을 수가 없었다.

2 慌てていたせいで、財布も**持たず**に出かけてしまった。
서두른 탓에 지갑도 챙기지 않고 외출하고 말았다.

3 いままで ＿＿＿＿＿＿＿＿＿＿ 頑張ってきました。　지금까지 포기하지 않고 열심히 노력했습니다.

4 あの学生は先生に ＿＿＿＿＿＿＿＿＿＿ 出て行ってしまった。
그 학생은 선생님에게 인사도 하지 않고 나가버렸다.

5 ＿＿＿＿＿＿＿＿＿＿ 試験を受けたのに、90点以上取れた。
공부도 하지 않고 시험을 쳤는데 90점 이상 나왔다.

❷ 동사 · 형용사 · 명사 + みたい　　　　　　　　　　　　　　　　　　　～같다

1 今日は風が激しくて、まるで**嵐みたい**だ。
오늘은 바람이 너무 세서 마치 태풍 같다.

2 あなたがそんなに歌がうまいなんて知らなかった。まるで**歌手みたい**だ。
당신이 그렇게 노래를 잘하는 줄 몰랐어요. 마치 가수 같네요.

3 天気アプリでは、明日は今日より ＿＿＿＿＿＿＿＿＿＿ ですよ。
날씨 앱에서 내일은 오늘보다 추운 것 같아요.

4 車が全然動かない。＿＿＿＿＿＿＿＿＿＿ 。
차가 전혀 움직이지 않는다. 망가진 것 같다.

5 彼の目の下の隈を見ると、どうやらゆうべは全然 ＿＿＿＿＿＿＿＿＿＿ だ。
그의 눈 밑 다크서클을 보니 아무래도 어젯밤 한숨도 못 잔 것 같다.

정답　❶ 3 諦めずに　4 挨拶もせずに　5 勉強もせずに　　❷ 3 寒いみたい　4 壊れちゃったみたい　5 寝てないみたい

75

문제를 풀며 오늘 배운 표현을 완벽히 내 것으로 만드세요.

A | 애니메이션 속 대화를 완성해 보세요.

ハイ田　❶ ________________ のか、あれ。　아직도 안 열렸네, 저거.

坪根　あら〜烈子さん、❷ ________________ 来たわ〜！　悪いけど、この佃煮の瓶開けてもらってもいい？ ものすご〜く固いけど。きっと頑張り屋さんのあなたなら出来るわ……。
어머나, 레츠코 씨, 딱 좋을 때 왔네! 미안하지만 이 쓰쿠다니 병 좀 열어주겠어? 엄청 단단하게 닫혀 있다고. 분명 뭐든 열심히 하는 너라면 할 수 있을 것 같은데…….

烈子　あっ、開きました。　아, 열렸어요.

坪根　あああ……！　아아악……!

ハイ田　烈子、お前すげえな。　레츠코, 너 대단하다!

烈子　えっ？ 何で？　응? 왜?

ハイ田　アーサー王みたいだったぞ。❸ ________________ ？
아서왕 같더라. 보디빌딩이라도 시작한 거야?

烈子　え〜？　뭐어?

フェ子　おかしいな、確かにヨガ教室の❹ ________________ 。
이상하네. 분명 요가 학원 사진에 찍혔는데.

烈子　何の話？　무슨 얘기야?

フェ子　いやいや、❺ ________________ 。　아니 아니, 그냥 혼잣말이야.

B | 다음 빈칸을 채워 문장을 완성해 보세요.

1 우리는 그 문제를 해결하기 위한 방법을 찾지 않을 수가 없었다.

　私たちは、その問題を解決するための方法を ________________ はいられなかった。

2 서두른 탓에 지갑도 챙기지 않고 외출하고 말았다.

　慌てていたせいで、財布も ________________ 出かけてしまった。

3 그 학생은 선생님에게 인사도 하지 않고 나가버렸다.

　あの学生は先生に ________________ 出て行ってしまった。

4 오늘은 바람이 너무 세서 마치 태풍 같다.

　今日は風が激しくて、まるで ________________ だ。

5 당신이 그렇게 노래를 잘하는 줄 몰랐어요. 마치 가수 같네요.

　あなたがそんなに歌がうまいなんて知らなかった。まるで
　________________ だ。

ついに暴かれた秘密

마침내 밝혀진 비밀

레츠코는 릴라와 수리미의 손에 붙들려 자신의 성역이자 비밀 공간인 노래방에 끌려가게 됩니다. 데스메탈 부르는 취미가 들킬까 봐 안절부절못하는 레츠코에게 우리는 요가 친구라며 자꾸만 친하게 달라붙는 두 사람. 게다가 릴라와 수리미는 마치 짜기라도 한 것처럼 레츠코에게 무슨 노래 부를 거냐, 어떤 노래를 좋아하느냐 물으면서 노래를 부르라고 은근한 압박을 가합니다. 레츠코는 비밀을 지키기 위해 어떻게든 노래를 안 부르려고 얌전을 빼지요.

워밍업! 오늘 배울 표현   오늘 등장하는 표현들입니다. 어떤 표현이 들어가야 할지 생각해 보세요.

* ヨガを通じて己を   、チャクラを開いて
  요가를 통해 나 자신을 재발견하고, 차크라를 열어

* 何   のかな？   어떤 노래를 부르려나?

* なんて   。 그렇게 말할 수 있을 리 없잖아.

* 何とかこの場を   ……。 어떻게든 이 상황을 넘기지 않으면…….

鷲美
수리미

そんなに緊張することないのよ。会社の外では、上司も先輩もないわ。同じ女同志でしょ。

그렇게 긴장할 거 없어. 회사 밖에서는 상사고 선배고 없으니까. 다 똑같은 여자야. 안 그래?

ゴリ
릴라

そうよ、私達……ヨガ達なんだから。

맞아, 우리는…… 요가 친구잖아.

烈子
레츠코

ヨガ達?

요가 친구요?

ゴリ
릴라

ヨガを通じて己を見つめ直し、チャクラを開いて❶宇宙と一体となることを共に目指す仲間、それがヨガ達。

요가를 통해 나 자신을 재발견하고, 차크라를 열어 우주와 하나가 되는 것을 함께 목표로 하는 친구, 그게 바로 요가 친구지!

烈子
레츠코

いや、私、そんな大それたこと考えてませんから。

아니, 저는 그렇게 대단한 걸 생각하지 않았어요!

ゴリ
릴라

心を自由になさい。

마음을 자유롭게 하렴.

鷲美
수리미

とりあえず……歌おっか?

일단…… 노래할까?

ゴリ
릴라

イエーイ!

오예!

烈子
레츠코

[ううう……。]

[으윽…….]

ゴリ
릴라

烈子ちゃん**何歌ってくれるのかな?**❷超興味ある〜!

레츠코는 어떤 노래를 부르려나? 정말 궁금하다!

鷲美
수리미

意外にヒップホップ系とか?

의외로 힙합 쪽이려나?

ゴリ
릴라

アイドル系じゃない?

아이돌 쪽이지 않을까?

烈子
레츠코

[あっ、私デス系です、**なんて言える訳ないじゃん。**❸何とかこの場を乗り切らないと……。❹]

[저는 데스메탈 쪽이에요. 그렇게 말할 수 있을 리 없잖아. 어떻게든 이 상황을 넘기지 않으면…….]

❶ ヨガを通じて己を見つめ直し、チャクラを開いて　요가를 통해 나 자신을 재발견하고, 차크라를 열어

이 장면에 나오는 ~直（なお）す는 '다시 한번 ~을 하다'라는 뜻의 표현입니다. 잘못된 부분이나 불만스럽게 여기는 부분을 올바르게 수정 및 정정, 혹은 원래 상태로 되돌려 놓겠다는 의도로 사용하지요. 그래서 의지를 드러내는 동사와 함께 쓸 때가 많습니다. 예를 들어 見直（みなお）す（재검토하다）, 選び直（えらなお）す（다시 고르다）, 考え直（かんがなお）す（다시 생각하다）, やり直す（다시 하다）처럼 말이지요.

★ 애니 속 패턴 익히기 1

❷ 何歌ってくれるのかな?　어떤 노래를 부르려나?

~てくれる는 '（누군가가 말하는 사람 쪽으로） ~을 해주다'라는 뜻입니다. 이때 행위를 받는 쪽은 말하는 사람, 혹은 말하는 사람과 관련된 사람（가족 등）이어야 합니다. 참고로 ~てあげる는 말하는 사람, 혹은 말하는 사람과 관련된 사람（가족 등）이 행위를 '해주는' 쪽이 됩니다.

* お母（かあ）さんは私（わたし）にお弁当（べんとう）を作（つく）ってくれた。　어머니는 나에게 도시락을 싸주었다.
* お弁当屋（べんとうや）さんは私（わたし）にお弁当（べんとう）を作（つく）ってくれた。　도시락 가게에서 내게 도시락을 싸주었다.
* お弁当屋（べんとうや）さんは私の父（わたしちち）のお弁当（べんとう）を作（つく）ってくれた。　도시락 가게에서 우리 아버지의 도시락을 싸주었다.

★ 애니 속 패턴 익히기 2

❸ なんて言える訳ないじゃん。　그렇게 말할 수 있을 리 없잖아.

~訳（わけ）がない는 '절대로 ~일 리가 없다'라는 뜻으로, 안 되는 것을 확인한 후에 그럴 리 없다고 부정하는 뉘앙스가 있습니다. '아예 확신을 갖고' 그럴 리가 없다고 말할 때는 ~はず（が）ない가 더 어울리는 표현입니다. 이 장면에서는 구어체로 ~訳ない라고 쓰였고, 이 형태는 대화 속에서 자주 사용된답니다. あなたにそれが分（わ）からない訳がない（당신이 그걸 모를 리가 없다）처럼 부정형（分からない）과 ~訳がない가 합쳐지면 이중부정이 되어 '반드시 ~이다, 한다'라는 뜻이 된다는 점도 잊지 마세요. 위의 예문에서는 '분명히 안다'라는 뜻이 되겠지요.

* A : このバッグ、値札（ねふだ）に30万円（まんえん）ってあったけど、3万円（まんえん）の間違（まちが）いだって。
  　이 가방, 가격표에 30만 엔이라고 적혀 있지만, 3만 엔을 잘못 쓴 거래.
* B : やっぱりね。こんな小（ちい）さい鞄（かばん）がそんなに高（たか）いわけないもん。
  　역시나. 이렇게 작은 가방이 그렇게 비쌀 리가 없으니까.

❹ 何とかこの場を乗り切らないと……。　어떻게든 이 상황을 넘기지 않으면…….

乗（の）り切（き）る는 '곤란한 상황을 이겨내다'라는 뜻입니다. 앞을 가로막는 여러 난관을 전부 극복하고 마지막에 도달했다는 뉘앙스입니다. 주로 何（なん）とか乗り切った（어떻게든 넘겼다）나 やっと乗り切った（가까스로 극복했다）처럼 쓰지요. 비슷한 뜻의 乗（の）り越（こ）える는 '난관을 뚫고 나아가다'라는 뜻입니다. 乗り切る는 난관을 극복하여 마지막까지 가서 완료했다는 뜻을, 乗り越える는 여러 난관 중에서 하나를 극복하고 더 앞으로 나아가고 있다는 뜻입니다.

* 彼（かれ）らは危機（きき）を乗（の）り切（き）って、ついに幸（しあわ）せをつかみました。　그들은 위기를 극복하고 마침내 행복을 거머쥐었습니다.
* この本（ほん）には、コロナ不況（ふきょう）をどう乗（の）り切（き）ればいいかが書（か）かれています。
  　이 책에는 코로나 불황을 어떻게 극복하면 좋을지가 적혀 있습니다.

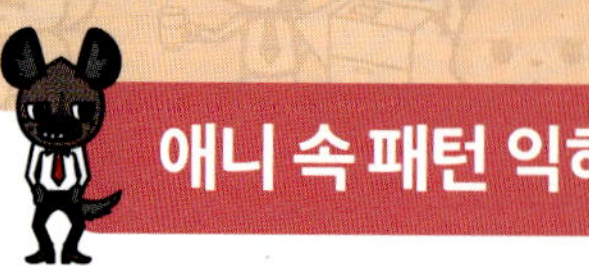

오늘 배운 장면에서 뽑은 핵심 패턴으로 다양한 표현을 만들어보세요.

🎧 15-2.mp3

❶ 동사 + 直す
다시 한번 ~을 하다

1 すぐ断らないで、もう一度**考え直して**いただけませんか。

바로 거절하지 말고 다시 한번 생각해 보시지 않겠습니까?

2 家が傾いてきたので、**建て直して**ください。 집이 기울어지고 있으니 다시 지어주세요.

3 とても汚い字だったので、________________________。 너무 글자가 엉망이어서 다시 썼다.

4 家にあった本が破れてしまったから、新しく________________________。

집에 있던 책이 찢어져서 새로 다시 샀다.

5 宿題に間違ってるところがないか________________________から提出した方がいい。

숙제에 잘못된 부분이 없는지 다시 살펴보고 제출하는 것이 좋다.

❷ 동사 + てくれる
(누군가가 나에게) ~을 해주다

1 両親が私の成績を**褒めてくれた**。 부모님이 내 성적을 칭찬해 주셨다.

2 好き嫌いの多い私が残したピーマンを、妹が代わりに**食べてくれた**。

편식이 심한 내가 남긴 피망을 여동생이 대신 먹어주었다.

3 理不尽な理由で責められていた私のことを知って、彼は心から________________________。

내가 부당한 이유로 질책받았다는 걸 알고 그는 진심으로 화를 내주었다.

4 店員さんが私の試着を________________________。 점원이 내가 옷을 입어보는 걸 도와주었습니다.

5 友達がみんな私のチームを________________________。 친구 모두가 내 팀을 응원해 주었다.

정답 ❶ **3** 書き直した **4** 買い直した **5** 見直して ❷ **3** 怒ってくれた **4** 手伝ってくれました **5** 応援してくれた

문제를 풀며 오늘 배운 표현을 완벽히 내 것으로 만드세요.

A | 애니메이션 속 대화를 완성해 보세요.

驚美　❶ ＿＿＿＿＿＿＿＿＿＿＿＿＿＿＿＿＿＿。会社の外では、
　　　❷ ＿＿＿＿＿＿＿＿＿＿＿＿。同じ女同志でしょ。

그렇게 긴장할 거 없어. 회사 밖에서는 상사고 선배고 없으니까. 다 똑같은 여자야, 안 그래?

ゴリ　そうよ、私達……ヨガ達なんだから。　맞아, 우리는…… 요가 친구잖아.

烈子　ヨガ達？　요가 친구요?

ゴリ　ヨガを通じて己を見つめ直し、チャクラを開いて宇宙と一
体となることを❸＿＿＿＿＿＿＿＿＿＿、それがヨガ達。

요가를 통해 나 자신을 재발견하고, 차크라를 열어 우주와 하나가 되는 것을 함께 목표로 하는 친구, 그게 바로 요가 친구지!

烈子　いや、私、❹＿＿＿＿＿＿＿＿＿＿考えてませんから。

아니, 저는 그렇게 대단한 걸 생각하지 않았어요!

ゴリ　心を自由になさい。　마음을 자유롭게 하렴.

驚美　とりあえず……歌おっか？　일단…… 노래할까?

ゴリ　イエーイ！　오예!

烈子　[うううぅ……。]　[으윽…….]

ゴリ　烈子ちゃん❺＿＿＿＿＿＿＿＿＿？ 超興味ある～!

레츠코는 어떤 노래를 부르려나? 정말 궁금하다!

B | 다음 빈칸을 채워 문장을 완성해 보세요.

1 바로 거절하지 말고 다시 한번 생각해 보시지 않겠습니까?

すぐ断らないで、もう一度＿＿＿＿＿＿＿＿＿いただけませんか。

2 집이 기울어지고 있으니 다시 지어주세요.

家が傾いてきたので、＿＿＿＿＿＿＿＿＿ください。

3 집에 있던 책이 찢어져서 새로 다시 샀다.

家にあった本が破れてしまったから、新しく＿＿＿＿＿＿＿＿＿。

4 부모님이 내 성적을 칭찬해 주셨다.

両親が私の成績を＿＿＿＿＿＿＿＿＿。

5 편식이 심한 내가 남긴 피망을 여동생이 대신 먹어주었다.

好き嫌いの多い私が残したピーマンを、妹が代わりに＿＿＿＿＿＿＿
＿＿＿＿＿＿＿＿＿。

肩身の狭い職場

기죽어 지내는 직장

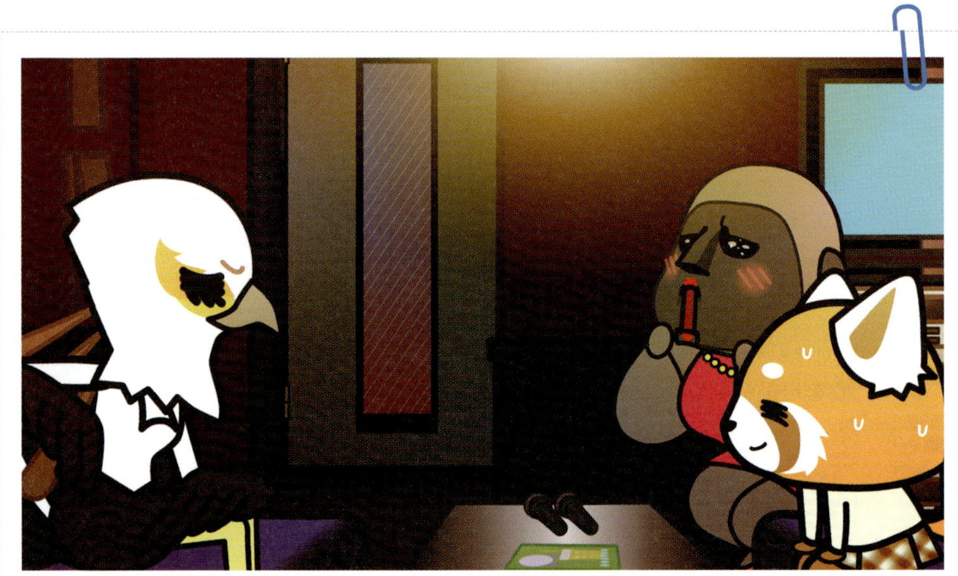

요가를 통해 레츠코와 우정을 다지게 된 수리미와 릴라. 레츠코는 그녀들에게 결혼해서 회사를 그만 두고 전업주부가 되고 싶다고 솔직히 털어놓습니다. 레츠코가 보기에는 환상적인 퇴사 계획이었지 만, 인생 선배인 수리미는 전업주부를 너무 쉽게 보는 거 아니냐며 날카롭게 지적합니다. 육아 문제, 부부 관계는 물론이며 남편을 무슨 돈 나오는 기계로 보는 거냐며, 냉정한 것 같지만 진심에서 우러 난 마음으로 걱정해 주지요.

워밍업! 오늘 배울 표현 오늘 등장하는 표현들입니다. 어떤 표현이 들어가야 할지 생각해 보세요.

* 悠々自適   ……。 유유자적까지는 아니지만요…….

* 主婦、   ない？ 주부를 쉽게 보는 거 아니니?

* 子育てに疲れてゾンビみたいになってる   、夫婦関係   。 애 보느라 지쳐서 좀비가 된 친구도 있고, 부부 관계가 완전히 소원해진 친구도 있어.

* 結婚生活の利便ありきで選ばれる相手が   よ。
편한 결혼 생활을 염두에 두고 배우자로 선택된 상대방이 불쌍하지.

鷲美・ゴリ
수리미・릴라

結婚して専業主婦になりたい？

결혼해서 전업주부가 되겠다고?

烈子
레츠코

エヘヘヘ〜。

에헤헤…….

ゴリ
릴라

それがヨガを始めた理由？

그게 요가를 시작한 이유야?

鷲美
수리미

なるほどね。つまり……ヨガでパーフェクトボディーを手に入れて、稼ぎの
いい彼氏ゲットして、26〜27で結婚して、まんまと退社して、悠々自適な生
活をしよう、って魂胆でしょ？

그렇구나. 그 말인즉슨…… 요가로 완벽한 몸매를 만들어서 돈 잘 버는 남자를 꿰찬 뒤에 26～27세쯤 결혼하고, 순조롭게 퇴사하여 유유자적하며 살겠다는 계획인 거지?

烈子
레츠코

いやあ、**悠々自適とまでは言いませんけど……**❶

아니 뭐, 유유자적까지는 아니지만요…….

鷲美
수리미

ハア〜。

에휴.

烈子
레츠코

もしかして引いてます？

설마 좀 깨나요?

鷲美
수리미

だって、好きな相手もいないんでしょ？ 仕事から逃げたいだけなんでし
ょ？ **主婦、甘く見てない？**❷ 結婚してからも闘いは続くのよ。

하지만 지금 좋아하는 사람도 없지? 일에서 도망치고 싶은 것뿐이잖아? 주부를 쉽게 보는 거 아니니? 결혼해도 전쟁은 계속된다고.

ゴリ
릴라

うん、うん、うん……。

응, 응, 응…….

鷲美
수리미

**子育てに疲れてゾンビみたいになってる友達だっているし、夫婦関係冷え切
ってる子だっているし。**❸

애 보느라 지쳐서 좀비가 된 친구도 있고, 부부 관계가 완전히 소원해진 친구도 있어.

ゴリ
릴라

うん、うん……。

응, 응…….

鷲美
수리미

大体、結婚生活の利便ありきで選ばれる相手が気の毒よ。❹ 旦那をATMか何
かだと思ってる？

애당초 편한 결혼 생활을 염두에 두고 배우자로 선택된 상대방이 불쌍하지. 남편을 ATM이라고 생각하는 거니?

❶ 悠々自適とまでは言いませんけど……。 유유자적까지는 아니지만요…….

~とまでは言いませんけどと는 '~라는 것까지는 아니지만 그래도'라는 뜻입니다. 여기서는 ます형을 썼지만, ~とまでは言わないが, ~とまでは言わないにしても, ~とまでは言わないとしても, ~とまでは言わなくとも 등 여러 가지 형태로 사용된답니다. 어떤 극단적인 예를 들어 그 정도를 설명하며 '~정도까지는 아니지만, 거의 그 정도 수준이다'라는 뉘앙스를 띱니다. 또한 100%とまでは言わないが、ある程度の成功率までは上げたい(100%까지는 아니지만 어느 정도 성공률까지는 올리고 싶다)처럼 상대에게 어떤 일을 어느 수준까지 요구할 때도 씁니다.

★ 애니 속 패턴 익히기 1

❷ 主婦、甘く見てない? 주부를 쉽게 보는 거 아니니?

甘く見る는 '싸울 상대나 해야 할 일 등을 아주 가볍게 평가하고 얕보다'라는 뜻입니다. 甘い는 '(맛 등이) 달다'뿐 아니라 '엄하지 않다, 후하다, 무디다'까지 다양한 의미를 내포하고 있기에, 甘く見る와 같은 관용구가 나오게 된 것이지요. 간단하지만 의외로 심오한 뜻을 가진 甘い를 활용한 표현으로 甘い言葉(감언), 甘い考え(물러터진 생각), 甘い点をつける(후한 점수를 주다), 脇が甘い(수비가 약하다) 등이 있습니다.

＊ 対戦相手との戦いを甘く見たせいで、完膚なきまで叩きのめされた。
대전 상대와의 싸움을 너무 얕본 탓에 완전히 때려눕혀지고 말았다.

＊ そんなにいつもヘラヘラしていると甘く見られてしまうかもしれない。
그렇게 항상 실실 웃고 다니면 얕볼지도 몰라.

❸ 子育てに疲れてゾンビみたいになってる友達だっているし、夫婦関係冷え切ってる子だっているし。 애 보느라 지쳐서 좀비가 된 친구도 있고, 부부 관계가 완전히 소원해진 친구도 있어.

~し、~し는 '~하고, ~하고'라는 뜻으로, 이유나 여러 사항을 열거할 때 쓰는 표현입니다. 彼女は、明るいし優しいので、とても人気がある(그녀는 밝고 다정해서 인기가 매우 많다)처럼 사람이나 사물을 평가하는 말에서도 자주 찾아볼 수 있습니다. 이 표현은 나열한 내용뿐 아니라 '또, 게다가 더 있다'라는 뉘앙스를 풍깁니다. 그래서 ~し를 하나만 써도 다른 이유가 더 있는 듯한 느낌을 주지요. ~て、~ても 비슷한 뜻이지만 ~し、~し가 더 일상적이고, 그 자리에서 생각을 툭툭 떠올리는 인상을 준답니다.

★ 애니 속 패턴 익히기 2

❹ 結婚生活の利便ありきで選ばれる相手が気の毒よ。
편한 결혼 생활을 염두에 두고 배우자로 선택된 상대방이 불쌍하지.

気の毒는 자신의 마음이나 감정에 독이 되는 것을 뜻합니다. 이 뜻을 토대로 남의 불행이나 고통을 접했을 때 마치 자신의 일처럼 안타까워하고 유감, 동정을 표현할 때도 사용하게 되었습니다. 그런데 気の毒는 고통을 당한 당사자에게 직접 쓰는 경우는 잘 없고, 대개 당사자가 없는 곳에서 유감을 표할 때 쓰는 경우가 많아요. 노골적이지는 않아도 다소 상대를 경시하는 의미가 포함되어 있기 때문입니다.

＊ A：最近、会社の経営が厳しくて何人かの社員が整理解雇されたんだって。
최근에 회사 경영이 어려워져서 몇 명 정도 직원이 정리해고됐대.

　 B：それはお気の毒に。大変かも知れないけど、またいい仕事が見つかればいいね。
그거 안됐다. 힘들겠지만 다시 좋은 일자리를 찾으면 좋겠어.

오늘 배운 장면에서 뽑은 핵심 패턴으로 다양한 표현을 만들어보세요.

🎧 16-2.mp3

❶ 동사·형용사·명사 + とまでは言わないが　　　~까지는 아니지만 그래도

1 **毎日とまでは言わないが**、週に２回くらいは外食したい。
매일까지는 아니지만 그래도 일주일에 2번 정도는 외식하고 싶다.

2 彼女は**プロとまでは言わないが**、相当の実力がある。　그녀는 프로까지는 아니지만 상당한 실력을 갖고 있다.

3 息子が作ってくれたオムライスは ＿＿＿＿＿＿＿＿＿＿＿、なかなかの味だった。
아들이 만들어준 오므라이스는 감동적일 정도는 아니었지만, 제법 괜찮은 맛이었다.

4 大学卒業後 ＿＿＿＿＿＿＿＿＿＿＿、あなたが就職するまでにはいろんな経験を積んで
ほしい。
대학 졸업 후에 바로 일하라고까지는 하지 않지만, 네가 취직할 때까지 여러 경험을 쌓으면 좋겠다.

5 絶対にお酒を ＿＿＿＿＿＿＿＿＿＿＿、酔いつぶれるまで飲むのはやめた方がいい。
절대로 술을 마시지 말라고까지는 하지 않지만, 만취할 정도로 마시지는 않는 것이 좋다.

❷ 동사·형용사·명사 + ～し、～し　　　~하고, ~하고

1 オーストラリアは、自然も**豊かだし**、街もとても綺麗なので、好きです。
호주는 자연도 풍부하고, 도시도 아주 아름다워서 좋아합니다.

2 昨日は咳も**ひどかったし**、頭も痛かったので、会社を休みました。
어제는 기침도 심했고, 머리도 아파서 회사를 쉬었습니다.

3 この物件は駅も ＿＿＿＿＿＿＿＿＿＿＿、周りも住宅街で安全なので、私はぜひお勧め
したいです。　이 건물은 역도 가깝고, 주변도 주택가라 안전해서 저는 꼭 추천하고 싶습니다.

4 食べ物も ＿＿＿＿＿＿＿＿＿＿＿、紅葉もとても ＿＿＿＿＿＿＿＿＿＿＿、秋の京都は
最高だね。　음식도 맛있고, 단풍도 참 멋져서 가을의 교토는 최고야.

5 この間は、＿＿＿＿＿＿＿＿＿＿＿、引っ越しの ＿＿＿＿＿＿＿＿＿＿＿ で、とても忙しか
った。　요사이에는 취직도 했고, 이사 준비도 해서 아주 바빴다.

정답　❶ **3** 感動的とまでは言わないが　**4** すぐ働けとまでは言わないが　**5** 飲むなとまでは言わないが
　　　❷ **3** 近いし　**4** うまいし, 素敵だし　**5** 就職もしたし, 準備もしたし

문제를 풀며 오늘 배운 표현을 완벽히 내 것으로 만드세요.

A | 애니메이션 속 대화를 완성해 보세요.

烈子　もしかして ❶ ____________________ ？　설마 좀 깨나요?

鷲美　だって、好きな相手もいないんでしょ？ ❷ ____________________
だけなんでしょ？ 主婦、甘く見てない？ 結婚してからも
❸ ____________________ のよ。

하지만 지금 좋아하는 사람도 없지? 일에서 도망치고 싶은 것뿐이잖아? 주부를 쉽게 보는 거 아니니?
결혼해도 전쟁은 계속된다고.

ゴリ　うん、うん、うん……。 응, 응, 응…….

鷲美　❹ ____________________ ゾンビみたいになってる友達だってい
るし、夫婦関係冷え切ってる子だっているし。

애 보느라 지쳐서 좀비가 된 친구도 있고, 부부 관계가 완전히 소원해진 친구도 있어.

ゴリ　うん、うん……。 응, 응…….

鷲美　大体、❺ ____________________ 選ばれる相手が気の毒よ。旦那
をATMか何かだと思ってる？

애당초 편한 결혼 생활을 염두에 두고 배우자로 선택된 상대방이 불쌍하지. 남편을 ATM이라고
생각하는 거니?

B | 다음 빈칸을 채워 문장을 완성해 보세요.

1　매일까지는 아니지만 그래도 일주일에 2번 정도는 외식하고 싶다.

____________________ 、週に２回くらいは外食したい。

2　그녀는 프로까지는 아니지만 상당한 실력을 갖고 있다.

彼女は ____________________ 、相当の実力がある。

3　절대로 술을 마시지 말라고까지는 하지 않지만, 만취할 정도로 마시지는 않는 것이 좋다.

絶対にお酒を ____________________ 、酔いつぶれるまで飲むのはや
めた方がいい。

4　호주는 자연도 풍부하고, 도시도 아주 아름다워서 좋아합니다.

オーストラリアは、自然も ____________________ 、街もとても綺麗
なので、好きです。

5　어제는 기침도 심했고, 머리도 아파서 회사를 쉬었습니다.

昨日は咳も ____________________ 、頭も痛かったので、会社を休み
ました。

上手な媚の売り方

アブ 잘하는 법

황돈 부장의 눈 밖에 제대로 난 레츠코는 회사에서 조금이라도 편하게 지내고 싶어 쓰노다에게 밥까지 사주며 조언을 구합니다. 쓰노다는 아양과 아부로 황돈 부장을 쥐락펴락하는 전문가이기 때문이죠. 쓰노다는 그냥 부장이 듣고 싶어 하는 말만 해주면 된다며 별것 아닌 듯이 말하지만, 레츠코는 참으로 자존심 상하는 일이라는 생각이 듭니다. 하지만 아부 몇 마디로 원하는 것을 얻을 수 있다고 생각하는 정신 승리자 쓰노다의 대범한 태도에 레츠코는 내심 감탄합니다.

 **워밍업! 오늘 배울 표현** 오늘 등장하는 표현들입니다. 어떤 표현이 들어가야 할지 생각해 보세요.

* いいように _____________________っていうか。 네 마음대로 쥐락펴락한달까.

* ご注文の品、___________________。 오래 기다리셨습니다. 주문하신 식사 나왔습니다.

* 媚びたら__________________、 비위를 맞추다 보면 패배감이 든다.

* だったら__________________ですか？ 그럼 패배한 건 아니지 않나요?

烈子
トン部長のこと。何ていうか、こう……**いいように手玉に取ってるっていうか。**❶
レ츠코
황돈 부장님 말이야. 뭐랄까……, 네 마음대로 쥐락펴락한달까.

角田
やめてくださいよ〜。別に普通ですよ。
쓰노다
그런 말씀 마세요. 그냥 평범하게 대하는걸요.

烈子
角田さんの言う普通が分からないんだよね。
레츠코
네가 말하는 평범을 모르겠어.

角田
先輩、もしかして、私が媚びてるって思ってます？
쓰노다
선배, 혹시 제가 아부한다고 생각하세요?

烈子
んんん！別にそんな……。
레츠코
으으윽! 딱히 그런 건 아니고…….

角田
いいんですよ〜媚びてますから。
쓰노다
괜찮아요, 아부 맞으니까요.

烈子
ん？
레츠코
응?

角田
トン部長の言いたいことって、超簡単に言うと……「俺ってすげえだろ？」ってことなんですよ。
쓰노다
황돈 부장이 말하고 싶은 건 아주 간단히 말해서 '나 멋지지?'예요.

角田
だから「すご〜い」って言ってあげるんです。それで相手が気分良くなってくれるなら、言ったほうが得ですから。女の子に可愛いって言ってあげるのと一緒です。
쓰노다
그래서 '대단해요'라고 말해주는 거예요. 그래서 상대방이 기분 좋아진다면 말하는 게 이득이니까요. 여자애한테 귀엽다고 말해주는 거랑 똑같아요.

烈子
すごく……単純な話だね。
레츠코
엄청…… 단순한 거구나.

角田
単純ですよ。
쓰노다
단순해요.

ウエーター
ご注文の品、お待たせいたしました。❷
웨이터
오래 기다리셨습니다. 주문하신 식사 나왔습니다.

烈子
でもな……**媚びたら負けな気がする、**❸みたいなの、ない？
레츠코
그래도…… 비위를 맞추다 보면 패배감이 든다, 같은 건 없어?

角田
負けな気がするだけですよね。**だったら負けじゃなくないですか？**❹
쓰노다
패배한 것 같은 기분만 들잖아요. 그럼 패배한 건 아니지 않나요?

장면 파헤치기

구문 설명과 예문으로 이 장면의 핵심 표현을 완벽히 이해하세요.

---

❶ いいように手玉に取ってるっていうか。 네 마음대로 쥐락펴락한달까.

手玉に取る는 '남을 자신의 뜻대로 이리저리 농락하다, 가지고 놀다'라는 뜻입니다. 상대가 자신이 농락당하는 걸 자각하고 있는지는 알 수 없지요. 남을 가지고 조종한다는 뜻인 만큼 자기중심적이며, 좋은 뉘앙스를 주는 말은 아닙니다. 여기서 手玉는 작은 천 주머니 안에 콩 등을 넣어서 가지고 노는 공 장난감을 이르는데, 곡예사가 그걸 자유자재로 가지고 노는 모습에서 사람을 이리저리 갖고 논다는 手玉に取る라는 말이 생겼습니다. 이와 비슷한 뜻으로 丸め込む(구워삶다)라는 말이 있는데, 상대방을 내 뜻대로 조종한다는 면에서는 의미가 같지만 '감언이설로 구슬린다', 즉 좋은 언변으로 남을 휘두른다는 느낌이 더 든답니다.

* **素直で鈍いあの子は、自分が手玉に取られている**ことに気づかない。
　솔직하고 둔한 그 애는 자신이 남들 손에 놀아난다는 걸 눈치채지 못한다.

* **彼女は欲しいものを手に入れるためなら、人を手玉に取る**ことも辞さない。
　그녀는 원하는 것을 손에 넣기 위해서라면 남을 농락하는 것도 전혀 개의치 않는다.

---

❷ ご注文の品、お待たせいたしました。 오래 기다리셨습니다. 주문하신 식사 나왔습니다.

이 장면에서 나오는 いたしました는 いたします의 과거형입니다. 그리고 いたします는 동사 ～する(하다)의 겸양어(자신을 낮추어 상대에게 경의를 표하는 경어)인 いたす를 ます형으로 바꾼 것이지요. いたします는 특히 비즈니스 상황에서 많이 쓰이는 말로, お願いいたします(부탁드립니다), 失礼いたします(실례합니다) 등의 표현으로 많이 쓰인답니다.

★ 애니 속 패턴 익히기 1

---

❸ 媚びたら負けな気がする、 비위를 맞추다 보면 패배감이 든다.

일상 대화에서 자주 쓰이는 ～気がする는 확실한 근거는 없지만 '～라는 느낌이 들다, 어쩐지 ～같다는 생각이 들다'라는 뜻입니다. 자신의 생각을 완곡하게 드러내고 싶을 때나 아마도 그런 것 같다는 추측이나 감각, 말하는 사람이 받은 인상 등을 말할 때 쓰지요. 같은 의미로 ～ような気がする도 자주 쓰이는 표현입니다. ～気がする는 주로 동사, 형용사와 결합하지만, [명사+な]의 형태를 띤 형용동사와 함께 나타나기도 해요. 이 장면 속의 負け+な+気がする가 바로 이 형용동사와의 결합에 해당하지요.

★ 애니 속 패턴 익히기 2

---

❹ だったら負けじゃなくないですか? 그럼 패배한 건 아니지 않나요?

ない(아니다, 없다)에는 부정의 뜻이 담겨 있습니다. 하지만 ～ないですか? 하고 억양을 올려서 묻는 경우에는 긍정의 의미를 담고 있다는 점이 중요합니다. 이 말 앞에서 나온 레츠코의 대사 でもな……媚びたら負けな気がする、みたいなの、ない?(그래도…… 비위를 맞추다 보면 패배감이 든다, 같은 건 없어?)를 보면, 말하는 사람이 대화 내용을 단호히 부정하는 것이 아니라 완곡히 긍정하고, 듣는 사람도 그렇게 이해하며 듣는 것이지요.

* A：**見て! これ、可愛くない?** 봐봐! 이거 귀엽지?

　 B：うん、そうだね。じゃあ、これにしよっと。 응! 그러네. 그럼 이걸로 하자.

 오늘 배운 장면에서 뽑은 핵심 패턴으로 다양한 표현을 만들어보세요.

🎧 17-2.mp3

❶ 동사 + いたします

〜する(하다)의 겸양어

1 では、詳細につきましては改めて**ご連絡いたします**。 그럼 상세한 내용에 대해서는 다시 연락드리겠습니다.

2 お先に**失礼いたします**。 먼저 실례하겠습니다.

3 またの機会に ________________。 다음 기회에 잘 부탁드리겠습니다.

4 お荷物 ________________。 짐을 들어드릴까요?

5 添付にてファイルを ________________。 첨부로 파일을 보내드리겠습니다.

❷ 동사 · 형용사 · 명사 + 気がする

〜라는 느낌이 든다, 어쩐지 〜같다

1 最近、周りが**平和になった気がする**。 최근에 주변이 평화로워진 것 같다.

2 今日は何だか風がいつもより**強い気がする**。 오늘은 어쩐지 평소보다 바람이 강한 것 같다.

3 風邪のせいで喉まで ________________。 감기 때문에 목까지 아픈 것 같아요.

4 このごろ体がなまって足腰も ________________。 요즘 들어 몸이 둔해져서 다리와 허리도 약해진 것 같다.

5 そんなにグロい映画だと、見る方まで気分が ________________。
그렇게 그로테스크한 영화는 보는 쪽까지 기분이 나빠지는 것 같다.

정답 ❶ 3 よろしくお願いいたします 4 お持ちいたしましょうか 5 お送りいたします
❷ 3 痛い気がします 4 弱くなったような気がする 5 悪くなりそうな気がする

문제를 풀며 오늘 배운 표현을 완벽히 내 것으로 만드세요.

A | 애니메이션 속 대화를 완성해 보세요.

角田　いいんですよ〜 ❶＿＿＿＿＿＿＿＿。 괜찮아요, 아부 맞으니까요.

烈子　ん？ 응?

角田　トン部長の言いたいことって、❷＿＿＿＿＿＿……
「俺ってすげえだろ？」ってことなんですよ。
황돈 부장이 말하고 싶은 건 아주 간단히 말해서 '나 멋지지?'예요.

角田　だから「すご〜い」って言ってあげるんです。それで相手
が❸＿＿＿＿＿なら、❹＿＿＿＿＿＿ですから。
女の子に可愛いって言ってあげるのと一緒です。
그래서 '대단해요'라고 말해주는 거예요. 그래서 상대방이 기분 좋아진다면 말하는 게 이득이니까요.
여자애한테 귀엽다고 말해주는 거랑 똑같아요.

烈子　すごく……単純な話だね。 엄청…… 단순한 거구나.

角田　単純ですよ。 단순해요.

ウエーター　ご注文の品、お待たせいたしました。
오래 기다리셨습니다. 주문하신 식사 나왔습니다.

烈子　でもな……媚びたら負けな気がする、みたいなの、ない？
그래도…… 비위를 맞추다 보면 패배감이 든다, 같은 건 없어?

角田　❺＿＿＿＿＿だけですよね。だったら負けじゃなく
ないですか？ 패배한 것 같은 기분만 들잖아요. 그럼 패배한 건 아니지 않나요？

정답 A

❶ 媚びてますから
❷ 超簡単に言うと
❸ 気分良くなって
　くれる
❹ 言ったほうが得
❺ 負けな気がする

B | 다음 빈칸을 채워 문장을 완성해 보세요.

1　그럼 상세한 내용에 대해서는 다시 연락드리겠습니다.
　では、詳細につきましては改めて＿＿＿＿＿＿。

2　먼저 실례하겠습니다.
　お先に＿＿＿＿＿＿。

3　첨부로 파일을 보내드리겠습니다.
　添付にてファイルを＿＿＿＿＿＿。

4　최근에 주변이 평화로워진 것 같다.
　最近、周りが＿＿＿＿＿＿。

5　오늘은 어쩐지 평소보다 바람이 강한 것 같다.
　今日は何だか風がいつもより＿＿＿＿＿＿。

정답 B

1　ご連絡いたします
2　失礼いたします
3　お送りいたします
4　平和になった気が
　する
5　強い気がする

大人の根回し

어른의 물밑 작업

레츠코의 원활한 회사 생활을 위한 물밑 작업을 도와주기로 한 수리미. 사장에게 직언을 올릴 수 있는 비서 수리미는 사장에게 황돈 부장이 직장 내 권력을 이용하여 여직원에게 인격적 모독, 정신적 괴롭힘을 가하고 있다고 고합니다. 이를 대수롭지 않게 생각하는 사장에게 회사 명성에 먹칠을 하고 싶으면 이 문제를 그냥 둬도 된다고 은근한 압박까지 가하지요. 게다가 회삿돈을 쓰려는 사장의 꼼수까지 완벽히 차단함으로써 멋지게 복수합니다.

워밍업! 오늘 배울 표현 오늘 등장하는 표현들입니다. 어떤 표현이 들어가야 할지 생각해 보세요.

* ある女性従業員はトン部長が原因で、精神を ＿＿＿＿＿＿＿＿＿＿＿＿＿＿。
  어떤 여직원은 황돈 부장으로 인해 정신적인 피해를 받고 있습니다.

* 会社の歴史に ＿＿＿＿＿＿＿＿＿＿＿ よろしいということでしたら、
  회사 이름에 먹칠을 해도 괜찮으시다면.

* どうぞ問題を ＿＿＿＿＿＿＿＿＿＿＿。 이 문제를 방치하셔도 됩니다.

* 寝ぼけたこと ＿＿＿＿＿＿＿＿＿＿ ムカついたから、 헛소리나 해대서 얼마나 짜증 나던지.

社長
사장

でも、あれでしょ？　記録が残ってるわけじゃないんでしょ？　大したことない
やつなんじゃないの？　ほら、すぐギャーギャー騒ぐ人っているから。

하지만 그 무슨 기록이 남아 있는 건 아니잖아? 대단할 거 없는 일 아닌가? 그 뭐냐, 꼭 시끄럽게 난리 치는 사람들이
있으니까.

鷲美
수리미

社長、これは経営上のリスクです。**ある女性従業員はトン部長が原因で、精
神を病みつつあります。** ❶　彼女が、ネットやマスコミにこのことを漏らさない
とも限りません。**会社の歴史に泥を塗ってもよろしいということでしたら、** ❷
どうぞ問題を放置なさってください。 ❸

사장님, 이건 회사 경영 차원의 위기입니다. 어떤 여직원은 황돈 부장으로 인해 정신적인 피해를 받고 있습니다. 그 직원이
인터넷이나 언론사에 이 일을 알릴 수도 있습니다. 회사 이름에 먹칠을 해도 괜찮으시다면, 이 문제를 방치하셔도 됩니다.

社長
사장

……。

…….

鷲美
수리미

例の件、社長に話通しといたわよ。

그 일은 사장님하고 상의했어.

ゴリ・烈子
릴라・레츠코

すご～い！

대단해!

鷲美
수리미

烈子、預けといた領収書持ってきた？

레츠코, 내가 준 영수증 가져왔니?

烈子
레츠코

あ、はい。まだ経理処理してませんけど。

아, 네. 아직 정산은 못 했지만요.

鷲美
수리미

いいのよ。

괜찮아.

烈子
레츠코

ええ～！

아아아아앗!

鷲美
수리미

私「経理部が受理した」なんて言ってないもん。社長には「私の方で処理した」
って言ったのよ。あのボンボン社長、「記録が残ってるわけじゃないでしょ？」
とか寝ぼけたこと抜かしやがってムカついたから、❹ こうして差し上げるの。

난 '경리부가 받아들였다'라고는 안 했거든. 사장한테 '내가 처리했다'라고만 했지. 그 뭣도 모르는 사장이 '기록이 남아 있는 건
아니잖아?'라고 헛소리나 해서 얼마나 짜증 나던지, 이렇게 보답해 주는 거야.

烈子
레츠코

鷲美さん大好き～！

수리미 씨, 사랑해요!

장면 파헤치기

구문 설명과 예문으로 이 장면의 핵심 표현을 완벽히 이해하세요.

❶ ある女性従業員はトン部長が原因で、精神を病みつつあります。
어떤 여직원은 황돈 부장으로 인해 정신적인 피해를 받고 있습니다.

~つつある는 '점점 ~하고 있다'라는 뜻으로, 그 상태로 천천히 다가감을 드러내는 표현입니다. 주로 순간적으로 끝나는 동작이나 작용을 나타내는 순간 동사와 함께 쓰일 때가 많습니다. 예를 들어 消える(사라지다), 始まる(시작되다), 終わる(끝나다), 死ぬ(죽다) 같은 동사가 이에 해당하지요. 따라서 이 장면에서 精神を病みつつある는 정신적으로 점차 병들어 가는 상태를 드러내고 있다고 할 수 있습니다.

★ 애니 속 패턴 익히기 1

❷ 会社の歴史に泥を塗ってもよろしいということでしたら、 회사 이름에 먹칠을 해도 괜찮으시다면,

顔に泥を塗る라는 관용구를 들어본 적이 있나요? 문자 그대로 '진흙을 묻히다, 얼굴을 더럽히다'라는 뜻으로도 쓸 수 있지만, 얼굴에 진흙을 묻히는 일이니 면목이나 체면을 구기는 굴욕적인 상황을 일컫는 표현이기도 합니다. 그래서 '얼굴에 먹칠을 하다, 큰 창피를 주다'를 의미하지요. 의미가 비슷한 관용구인 顔をつぶす(얼굴에 먹칠하다), 面目を潰す(체면을 잃다)도 알아두면 더욱 폭넓게 일본어를 활용할 수 있답니다.

* 不親切な店員のせいで、店長は顔に泥を塗られた。 불친절한 점원 때문에 점장은 큰 창피를 당하고 말았다.

* そんな恥ずかしいことをしたら、親の顔に泥を塗ることになるかも。
그런 부끄러운 짓을 하면 부모님 얼굴에 먹칠을 하게 될지도 몰라.

❸ どうぞ問題を放置なさってください。 이 문제를 방치하셔도 됩니다.

이 장면에서 なさってください의 ～なさる(하시다)는 ～する(하다)의 존경어 표현입니다. 2·3인칭 주어의 행위, 사물, 상태 등을 높일 때 쓰는 말이지요. ～なさる의 ます형은 なさいます(하십니다), なさいます의 명령형은 なさいませ(하십시오)가 됩니다. 社長が出張をされるそうだ(사장님께서 출장을 가신다고 한다)처럼 ～する의 존경어로 ～される가 쓰이기도 하지만, 좀 더 정중한 표현으로는 ～なさる를 사용한답니다.

★ 애니 속 패턴 익히기 2

❹ 寝ぼけたこと抜かしやがってムカついたから、 헛소리나 해대서 얼마나 짜증 나던지,

드라마나 만화, 소설 속 등장인물의 대사로 나오는 ～やがる는 제삼자의 행동에 대해 비아냥, 경멸, 분노를 담아 표현할 때 사용하는 조동사입니다. 일반적으로 남자들이 쓰는 거친 말투에서 엿볼 수 있지요. 그러나 이 표현에 항상 경멸이나 분노 등의 뉘앙스만 담기는 것은 아닙니다. 예를 들어, 비교적 친한 사람에게 無茶しやがって(무리하기는)와 같은 말을 한다면, 무모하게 애쓰다가 그 결과가 실패로 끝난 사람에게 은근한 칭찬을 섞어 호의적으로 비아냥거리는 의도가 다분하기 때문이지요.

* A：聞いた？ あいつ、毎日残業して結局倒れちゃったんだって。
들었어? 그 녀석, 매일 잔업하더니 결국 쓰러졌대.

B：まったく、無茶しやがって。 나 참, 무리하기는.

애니 속 패턴 익히기　오늘 배운 장면에서 뽑은 핵심 패턴으로 다양한 표현을 만들어보세요.

🎧 18-2.mp3

❶ 동사 + つつある　　　점점 ~하는 상태가 되고 있다

1 国民の生活水準が**向上しつつある**というのは、うれしいことです。
국민의 생활 수준이 향상되고 있는 것은 기쁜 일입니다.

2 現在電気自動車が徐々に**普及しつつあります**。　현재 전기 자동차가 서서히 보급되고 있습니다.

3 工事は完成に ＿＿＿＿＿＿＿＿＿＿＿＿ 。　공사는 완성에 가까워지고 있습니다.

4 わが社の経営状態は ＿＿＿＿＿＿＿＿＿＿＿＿ 。　우리 회사의 경영 상태는 호전되고 있습니다.

5 秋の色に ＿＿＿＿＿＿＿＿＿＿ 庭の木々を眺めながら、毎日を過ごしています。
가을 색으로 변하고 있는 정원 나무들을 바라보면서 매일을 보내고 있습니다.

❷ 동사 + なさいます　　　~하십니다

1 明日の大会は**取り止めになさいますか**？　내일 대회는 취소하시겠습니까?

2 今日は先に**入浴なさってください**。　오늘은 먼저 목욕하러 들어가세요.

3 どうぞごゆっくり ＿＿＿＿＿＿＿＿＿＿＿＿ 。　부디 편히 쉬세요.

4 あの先生はウイルス学を ＿＿＿＿＿＿＿＿＿＿＿＿ 。　그 선생님은 바이러스학을 연구하고 계십니다.

5 今夜のお食事は ＿＿＿＿＿＿＿＿＿＿＿＿ 。　오늘 밤 저녁은 어떻게 하시겠습니까?

정답　❶ **3** 近づきつつあります　**4** 好転しつつあります　**5** 変わりつつある
　　　　❷ **3** お寛ぎなさいませ　**4** ご研究なさっています　**5** いかがなさいますか

문제를 풀며 오늘 배운 표현을 완벽히 내 것으로 만드세요.

A | 애니메이션 속 대화를 완성해 보세요.

社長 でも、あれでしょ？ ❶_______________ んでしょ？ ❷_______________ やつなんじゃないの？ ほら、すぐギャーギャー騒ぐ人っているから。

하지만 그 무슨 기록이 남아 있는 건 아니잖아? 대단할 거 없는 일 아닌가? 그 뭐냐, 꼭 시끄럽게 난리 치는 사람들이 있으니까.

鷲美 社長、これは経営上のリスクです。ある女性従業員はトン部長が原因で、精神を病みつつあります。彼女が、ネットやマスコミにこのことを ❸_______________。会社の歴史に泥を塗ってもよろしいということでしたら、どうぞ問題を放置なさってください。

사장님, 이건 회사 경영 차원의 위기입니다. 어떤 여직원은 황돈 부장으로 인해 정신적인 피해를 받고 있습니다. 그 직원이 인터넷이나 언론사에 이 일을 알릴 수도 있습니다. 회사 이름에 먹칠을 해도 괜찮으시다면, 이 문제를 방치하셔도 됩니다.

社長 ……。……。

鷲美 例の件、社長に ❹_______________ わよ。 그 일은 사장님하고 상의했어.

ゴリ・烈子 すご～い！ 대단해!

鷲美 烈子、❺_______________ 領収書持ってきた？

레츠코, 내가 준 영수증 가져왔니?

烈子 あ、はい。まだ経理処理してませんけど。 아. 네. 아직 정산은 못 했지만요.

정답 A

❶ 記録が残ってる わけじゃない

❷ 大したことない

❸ 漏らさないとも 限りません

❹ 話通しといた

❺ 預けといた

B | 다음 빈칸을 채워 문장을 완성해 보세요.

1 국민의 생활 수준이 향상되고 있는 것은 기쁜 일입니다.

国民の生活水準が _______________ というのは、うれしいことです。

2 현재 전기 자동차가 서서히 보급되고 있습니다.

現在電気自動車が徐々に _______________。

3 내일 대회는 취소하시겠습니까？

明日の大会は _______________？

4 오늘은 먼저 목욕하러 들어가세요.

今日は先に _______________。

5 그 선생님은 바이러스학을 연구하고 계십니다.

あの先生はウイルス学を _______________。

정답 B

1 向上しつつある

2 普及しつつあ ります

3 取り止めになさ いますか

4 入浴なさって ください

5 ご研究なさって います

改心した悪徳上司

크게 반성한 악덕 상사

사장의 설교가 통했는지 다음 날 아침 바로 착한 상사로 바뀐 황돈. 다른 직원들은 부담스러워하지만 레츠코는 그가 나름 노력한다고 생각해서 살갑게 대하려 애를 씁니다. 황돈 부장의 만행이 잠잠해져 레츠코는 다소 안심하지만, 수리미와 릴라는 아직 황돈 부장과 레츠코 사이가 완전히 해결된 게 아니라고 충고합니다. 완전 해결법으로 그녀들이 제시한 건 바로 직장 회식 자리……!

워밍업! 오늘 배울 표현 오늘 등장하는 표현들입니다. 어떤 표현이 들어가야 할지 생각해 보세요.

* こいつが社長に　　　　　　　　　　　　のか？　이 녀석이 사장님한테 고자질한 건가?

* 鷲美さんの　　　　　　　　　　です。　수리미 씨 덕분이에요.

* でも安心するのは、まだ　　　　　　　　　　？　하지만 마음 놓기엔 아직 이르지 않니?

* 古臭いと　　　　　　　　　　けど、　구닥다리라고 생각할지도 모르겠지만,

トン (황돈)
[うおおお〜。まさか、**こいつが社長にチクりやがったのか？**❶]
[으으으음. 설마, 이 녀석이 사장님한테 고자질한 건가?]

鷲美 (수리미)
とりあえず、作戦はうまくいったってことかしらね。
우선 작전은 성공했다는 거네.

烈子 (레츠코)
ありがとうございます。**鷲美さんのおかげです。**❷
감사합니다. 수리미 씨 덕분이에요.

ゴリ (릴라)
でも安心するのは、まだ早いんじゃない？❸
하지만 마음 놓기엔 아직 이르지 않니?

烈子 (레츠코)
え？
네?

鷲美 (수리미)
烈子とトン部長の間には、まだ高い壁があるわ。
너랑 황돈 부장 사이에는 아직 높은 벽이 있어.

ゴリ (릴라)
社長に釘刺されて、大人しくしてるだけで、あなたたちの関係性は何も変わってないでしょ？
사장님께 한 소리 들어서 얌전해진 것뿐이지, 두 사람의 관계는 아무것도 바뀐 게 없잖아?

烈子 (레츠코)
ああ……。
아아…….

鷲美 (수리미)
お互いの理解を深める機会が必要ね。何かないの？
서로를 깊게 이해할 수 있는 기회가 필요해. 뭔가 없어?

烈子 (레츠코)
え……。
네…….

鷲美 (수리미)
飲み会とか。
회식이라든지.

烈子 (레츠코)
ああ〜でも私苦手なんですよね、会社の飲み会。
아아, 하지만 전 별로 안 좋아해서요, 회사 회식.

鷲美 (수리미)
最近、こういう子多いわよね。
요즘 이런 애들이 많네.

ゴリ (릴라)
分かる。うちの若い子もこんな感じ！ねえ、烈子。**古臭いと思うかもしれないけど、**❹ 酒の席で親睦を深めるって、今も昔も絶対有効よ。
맞아! 우리 쪽 젊은 애도 이런 식이라니까! 저기, 레츠코. 구닥다리라고 생각할지도 모르겠지만, 술자리에서 친목을 다지는 건 예전이나 지금이나 효과가 확실해.

❶ こいつが社長に チクリ やがったのか? 이 녀석이 사장님한테 고자질한 건가?

チクる는 '고자질하다, 밀고하다'라는 뜻의 속어입니다. 일러바친다는 말만 봐도 충분히 알 수 있지만, チクる는 고자질을 당한 사람의 입장에서는 아주 기분 나쁘고 자신에게 불리한 일입니다. 그래서 좋은 일을 알리는 상황에서는 チクる를 쓰지 않지요. 그 점에서 '단순히 내용을 알린다'라는 뜻의 報告(보고)와는 의미 차이가 확실합니다.

* 俺がやったって、警察にチクるんじゃねえぞ! 내가 했다고 경찰에게 일러바치지 마!
* 会社で何でも上司にチクってるやつは、信用されねえからな。
  회사에서 뭐든 상사에게 이르는 녀석은 신용을 얻기 어려우니까.

❷ 鷲美さんの おかげ です。 수리미 씨 덕분이에요.

おかげで는 일상생활뿐 아니라 비즈니스 상황에서 많이 쓰이면서 겸양과 정중함의 의미가 담겨 있는 표현입니다. '(당신의 도움이나 조언) 덕분에'라는 뜻으로, 어떤 일이 가져다주는 결과에 대한 감사의 뜻을 드러내는 표현이지요. 예를 들어 先生のおかげで本当に助かりました(선생님 덕분에 정말 도움이 됐어요)처럼 말이지요. 비슷한 의미로 おかげさまで도 있는데 상대방에게서 받은 도움이나 은혜에 대한 감사를 드러냅니다. おかげさまで는 문장 앞부분에서 사용되고, おかげで는 접속사적인 역할로 문장 중간이나 끝에 사용될 때가 많습니다.

* A : 明日が新商品の発売日なんですってね。 내일이 신상품 발매일이라면서요?
  B : はい、みんなのおかげで無事に発売までこぎつけることができました。
  네, 모두의 도움 덕분에 무사히 발매까지 이르게 됐습니다.

❸ でも安心するのは、まだ早いんじゃない? 하지만 마음 놓기엔 아직 이르지 않니?

~んじゃない?는 ~のではないでしょうか 또는 ~のではないだろうか(~이지 않을까요?)의 구어체로서 '아마 ~일 것이다, ~라고 생각한다'라는 의도를 드러냅니다. 자신의 의견을 단정 짓지 않고 상대방에게 질문을 던지면서 자신의 의도를 전하는 방식이지요. 그래서 이 장면의 まだ早いんじゃない?는 たぶんまだ早いと思う(아마 아직 이르다)라는 의미랍니다.

★ 매니 속 패턴 익히기 1

❹ 古臭いと思う かもしれない けど、 구닥다리라고 생각할지도 모르겠지만,

~かもしれない는 '~일지도 모른다'라는 뜻으로, 말하는 사람의 추측을 드러내는 표현입니다. 추측과 가능성을 나타내는 여러 표현들을 놓고 확신의 정도를 대략적으로 비교해 보면 다음과 같습니다.

← 확신의 정도가 높음   　　　　　　　　　　　　　　　　　　　　　　　　확신의 정도가 낮음 →

それはバレる	>	それはバレるはずだ	>	それはバレるだろう	>	それはバレるかもしれない
(그건 들킨다)		(그건 들킬 것이 분명하다)		(그건 들킬 것이다)		(그건 들킬지도 모른다)

★ 매니 속 패턴 익히기 2

🎧 19-2.mp3

❶ 동사 + んじゃない?　　　　　〜이지 않을까?

1 あの遅刻魔、また**遅れて来るんじゃない**?　툭하면 지각하는 그 사람, 또 늦는 거 아닐까?

2 これ選ぶの**大変だったんじゃない**?　이거 고르는 데 힘들지 않았을까?

3 この時間になってもなんの連絡もないから、今日は ＿＿＿＿＿＿＿＿＿＿＿ ?
이 시간이 되도록 아무런 연락도 없으니까 오늘 안 오지 않을까?

4 多分彼もやれば ＿＿＿＿＿＿＿＿＿＿＿ ?　아마 그도 하면 할 수 있지 않을까?

5 これ、ずいぶん安いけど、すぐ ＿＿＿＿＿＿＿＿＿＿＿ の?　이거 너무 싼데, 금방 망가지지 않을까?

❷ 동사 · 형용사 · 명사 + かもしれない　　　　　〜일지도 모른다

1 寝坊してしまったので、もう電車に**間に合わないかもしれない**。
늦잠을 자버려서 이제 전철을 놓칠지도 모른다.

2 もしかしたら、新しい土地に行けば、私の人生は**変わるかもしれない**。
어쩌면 새로운 곳으로 가면 내 인생은 바뀔지도 모른다.

3 この外車は有名なメーカーのものだから、値段が ＿＿＿＿＿＿＿＿＿＿＿ 。
이 외제차는 유명한 메이커 제품이니까 가격이 비쌀지도 모른다.

4 ここでその判断を下すのは ＿＿＿＿＿＿＿＿＿＿＿ 。
여기서 그 판단을 내리는 건 위험할지도 모릅니다.

5 彼の行動を見るに、いちばん怪しいのは ＿＿＿＿＿＿＿＿＿＿＿ 。
그의 행동을 보건대 제일 의심스러운 건 그일지도 모르겠어.

정답　❶ 3 来ないんじゃない　4 できるんじゃない　5 壊れちゃうんじゃない
　　　❷ 3 高いかもしれない　4 危険かもしれません　5 彼かもしれない

문제를 풀며 오늘 배운 표현을 완벽히 내 것으로 만드세요.

A | 애니메이션 속 대화를 완성해 보세요.

鷲美 烈子とトン部長の間には、❶____________________ わ。
너랑 황돈 부장 사이에는 아직 높은 벽이 있어.

ゴリ 社長に ❷____________________ 、大人しくしてるだけで、あなたたちの関係性は何も変わってないでしょ？
사장님께 한 소리 들어서 얌전해진 것뿐이지, 두 사람의 관계는 아무것도 바뀐 게 없잖아?

烈子 ああ……。 아아…….

鷲美 お互いの ❸____________________ 機会が必要ね。何かないの？
서로를 깊게 이해할 수 있는 기회가 필요해. 뭔가 없어?

烈子 え……。 네…….

鷲美 飲み会とか。 회식이라든지.

烈子 ああ～でも私 ❹____________________ ね、会社の飲み会。
아아, 하지만 전 별로 안 좋아해서요, 회사 회식.

鷲美 最近、こういう子多いわよね。 요즘 이런 애들이 많네.

ゴリ 分かる。うちの若い子もこんな感じ！ねえ、烈子。古臭いと思うかもしれないけど、酒の席で親睦を深めるって、❺____________________ 絶対有効よ。
맞아! 우리 쪽 젊은 애도 이런 식이라니까! 저기, 레츠코, 구닥다리라고 생각할지도 모르겠지만, 술자리에서 친목을 다지는 건 예전이나 지금이나 효과가 확실해.

B | 다음 빈칸을 채워 문장을 완성해 보세요.

1. 툭하면 지각하는 그 사람, 또 늦는 거 아닐까?

   あの遅刻魔、また ____________________ ？

2. 이거 고르는 데 힘들지 않았을까?

   これ選ぶの ____________________ ？

3. 늦잠을 자버려서 이제 전철을 놓칠지도 모른다.

   寝坊してしまったので、もう電車に ____________________ 。

4. 어쩌면 새로운 곳으로 가면 내 인생은 바뀔지도 모른다.

   もしかしたら、新しい土地に行けば、私の人生は ____________________ 。

5. 여기서 그 판단을 내리는 건 위험할지도 모릅니다.

   ここでその判断を下すのは ____________________ 。

職場の飲み会

직장 회식

드디어 시작된 회식. 릴라와 수리미의 조언대로 레츠코는 황돈 부장에게 마음을 열고 먼저 다가가기로 합니다. 황돈 부장도 그런 레츠코의 노력을 이해했는지 자신의 심정을 솔직히 털어놓지요. 자기도 젊은 시절 상사에게 휘둘렸는데 지금은 조금만 엄하게 해도 부하 직원의 인권 침해로 비쳐지는 것 같고, 이제 자기도 늙었으니 슬슬 떠날 때가 된 것 같다는 애환을 드러냅니다. 레츠코는 약한 소리를 하는 황돈 부장을 붙잡다가 결국 말실수를 하는데…….

워밍업! 오늘 배울 표현 오늘 등장하는 표현들입니다. 어떤 표현이 들어가야 할지 생각해 보세요.

*   。고생이 많으세요.

*   です。계속 다니려고 합니다.

* パワハラだ何だとしっぺ返しを   。
권력 남용이다 뭐다 앙갚음만 당하고 말지.

*   ことばかりですみません。
부족한 점이 많아서 죄송합니다.

烈子 （레츠코）
トン部長、お疲れさまです。❶
황돈 부장님, 고생이 많으세요.

トン （황돈）
おお〜腰掛……あああ……烈子君！
아, 단기…… 아……, 레츠코 씨!

烈子 （레츠코）
グラス、空いてますよ。
잔이 비어 있네요.

烈子 （레츠코）
ラベルは上に、でしたよね。
라벨은 위에 보이도록 하라셨죠.

トン （황돈）
記憶力は悪くねえようだな。
기억력은 나쁘지 않은 것 같군.

トン （황돈）
だが、つぎ方がなってねえな。貸してみろ、おう。
하지만 따르는 방법이 잘못됐어. 이리 줘봐.

烈子 （레츠코）
あ……。
아…….

トン （황돈）
お前、仕事はどうするんだ？ 続けるのか、辞めるのか。
일은 어떻게 할 생각이지? 계속 다닐 건가, 그만두는 건가?

烈子 （레츠코）
つ……続けるつもりです。❷
계…… 계속 다니려고 합니다.

トン （황돈）
そうか。
그렇군.

トン （황돈）
俺も今回はさすがに懲りた。俺が若い頃は、そりゃ厳しくしごかれたもんだったが、今同じつもりで指導すりゃ、パワハラだ何だとしっぺ返しを食らっちまう。❸ 時代は変わった。俺ももう年だな。
나도 이번엔 의욕이 사라졌어. 내가 젊었을 적엔 호되게 배우면서 일했는데, 지금은 같은 방법으로 지도하면 권력 남용이다 뭐다 앙갚음만 당하고 말지. 시대는 바뀌었어. 나도 이제 나이를 먹은 거야.

トン （황돈）
ハア……お前ともいろいろあったが、少々やりすぎた。今まですまなかったな。
하……, 너와도 많은 일이 있었지. 내가 좀 지나쳤어. 지금까지 미안했다.

烈子 （레츠코）
トン部長……。
황돈 부장님…….

烈子 （레츠코）
私こそ、至らないことばかりですみません。❹ これからもご指導お願いします。
저야말로 부족한 점이 많아서 죄송합니다. 앞으로도 지도 부탁드려요.

❶ お疲れさまです。 고생이 많으세요.

お疲れ様です는 우리말로 하면 '고생 많으셨습니다'라는 의미로, 일의 피로나 노고를 위로하기 위해 쓰는 인사말입니다. 그런데 이 장면처럼 비즈니스 상황에서는 조금 다른 느낌으로 사용합니다. おはようございます(안녕하세요, 좋은 아침입니다)나 こんにちは(안녕하세요) 등을 대신하는 인사로 쓰기 때문입니다. 그래서 드라마에서 상사나 직장 선배가 일을 마친 부하 직원에게 お疲れ様라고 인사하고, 부하 직원은 상사에게 お疲れ様です라고 인사하는 장면을 자주 볼 수 있어요.

＊ A：こんにちは。 안녕하세요.
　 B：お疲れさまです。 山本部長にお目にかかれますか。 안녕하십니까. 야마모토 부장님을 좀 뵐 수 있을까요?

❷ 続ける つもりです。 계속 다니려고 합니다.

〜つもり는 '〜할 생각, 계획'이라는 뜻으로 의지나 계획, 예정을 드러내는 표현입니다. 제삼자의 의지를 추측하는 뜻으로 〜つもり를 쓸 때도 있지만, 이 장면처럼 주로 말하는 사람의 의지를 드러낼 때가 많습니다. 本当に行くつもりですか？(정말로 가실 건가요?)라는 물음에 대답할 때 앞서 말한 동사를 반복하지 않고 はい、そのつもりです(네, 그럴 생각입니다)라고 말합니다. 자신보다 윗사람에게 〜つもりですか라고 묻는 건 실례라는 점도 알아두세요.

★ 애니 속 패턴 익히기 1

❸ パワハラだ何だとしっぺ返しを食らっ ちまう。 권력 남용이다 뭐다 앙갚음만 당하고 말지.

〜ちまう는 〜ちゃう와 마찬가지로 〜てしまう(〜하고 말다)가 축약된 구어체인데, 다소 거친 말투입니다. 이 장면에서 황돈 부장이 엄하게 지도하면 결국 항의만 듣는다는 아쉬움을 드러내는데, 〜てしまう는 이렇게 후회나 아쉬움을 드러냅니다. 〜てしまう는 忘れる(잊다), 間違える(착각하다), 遅れる(늦어지다)와 같은 무의지 동사와 결합하곤 한답니다. 〜てしまう는 어떤 동작이 전부 끝났다는 완료의 의미를 드러낼 때도 있습니다. 이때는 全部(전부), 完全に(완전히), すべて(모두), すっかり(온통) 같은 부사와 함께 사용되어 종료의 뉘앙스를 강하게 풍기지요. 飲む(마시다), 読む(읽다) 등 말하는 이의 의지가 담긴 동사와 함께 쓰입니다.

★ 애니 속 패턴 익히기 2

❹ 至らない ことばかりですみません。 부족한 점이 많아서 죄송합니다.

至らない는 동사 至る에 ない라는 부정어가 붙어 생긴 말입니다. 주로 '불충분하다, (자신을 겸손하게 낮추어) 사려와 경험이 부족하여 미숙하다'라는 뜻으로 사용되지요. 至らない点もあるかと思います(부족한 점도 많을 것으로 생각됩니다)라는 말에서 접해봤을 수도 있을 거예요. 다만, 윗사람에게 말할 때는 至らない点もあるかと存じます라고 바꿔서 말해야 합니다. 至らない는 연하장, 결혼식, 감사를 표하는 상황에서도 많이 쓰이지만, 애니메이션의 이 장면처럼 사죄의 의미로도 사용됩니다. '제가 부족한 점이 많아' 죄송하다는 뜻으로 쓰는 것이지요.

＊ 私が至らないばかりにご心配をおかけして申し訳ありません。
　 제가 부족한 점이 많아 걱정을 끼쳐드려 면목이 없습니다.

＊ 至らない点が多いために、このような事態となってしまったことを、お詫び申し上げます。
　 부족한 점이 많아 이러한 사태를 일으키게 되어 사죄드립니다.

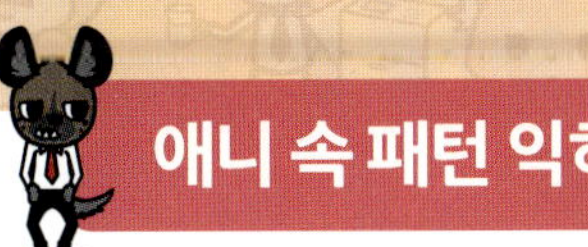

오늘 배운 장면에서 뽑은 핵심 패턴으로 다양한 표현을 만들어보세요.

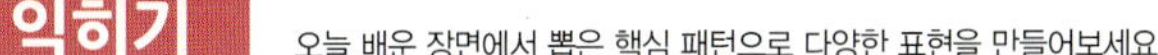

🎧 20-2.mp3

❶ 동사 + つもりだ
~할 생각이다, 계획이다

1 30になる前に**結婚するつもりです**。　서른이 되기 전에 결혼할 생각입니다.

2 来年は、夏祭りに参加して花火を**楽しむつもりだ**。　내년에는 여름 축제에 참가해서 불꽃놀이를 즐길 생각이다.

3 週明けまでには必ず報告書を ＿＿＿＿＿＿＿＿＿＿＿＿＿＿。　다음 주 월요일까지는 꼭 보고서를 완성할 생각입니다.

4 あとで私が運転をしようと思うので、お酒は ＿＿＿＿＿＿＿＿＿＿＿＿。
나중에 제가 운전을 해야 할 것 같으니 술은 마시지 않을 생각입니다.

5 どんなことがあっても大学は ＿＿＿＿＿＿＿＿＿＿＿＿。　어떤 일이 있어도 대학은 그만두지 않을 생각이다.

❷ 동사 + てしまう
~하고 말다

1 冷蔵庫にあった賞味期限切れのチーズを食べて、お腹を**壊してしまいました**。
냉장고에 있던 유통기한이 지난 치즈를 먹고 배탈이 나고 말았습니다.

2 その子供はお腹がすいていたあまり、スーパーで食パンを**盗んでしまった**。
그 아이는 배가 고픈 나머지 슈퍼에서 식빵을 훔치고 말았다.

3 急いでいたせいで、ドアの鍵を閉めるのを ＿＿＿＿＿＿＿＿＿＿＿＿。
서두르는 바람에 문을 잠그는 것을 잊고 말았다.

4 私は、連日の残業で体を ＿＿＿＿＿＿＿＿＿＿から、会社を辞めたのです。
저는 매일 이어지는 잔업으로 인해 몸이 망가져 버려서 회사를 그만두었습니다.

5 私が隠しておいたお菓子を妹が勝手に ＿＿＿＿＿＿＿＿＿＿せいで、喧嘩になった。
내가 숨겨둔 과자를 여동생이 멋대로 먹어버리는 바람에 싸움이 났다.

정답　❶ 3 完成させるつもりです　4 飲まないつもりです　5 やめないつもりだ
❷ 3 忘れてしまった　4 壊してしまった　5 食べてしまった

문제를 풀며 오늘 배운 표현을 완벽히 내 것으로 만드세요.

A | 애니메이션 속 대화를 완성해 보세요.

トン お前、❶ ___________________? 続けるのか、辞めるのか。
일은 어떻게 할 생각이지? 계속 다닐 건가, 그만두는 건가?

烈子 つ……続けるつもりです。 계…… 계속 다니려고 합니다.

トン そうか。 그렇군.

トン 俺も今回は ❷ ___________________。俺が若い頃は、そりゃ
❸ ___________________ もんだったが、今同じつもりで指導す
りゃ、パワハラだ何だとしっぺ返しを食らっちまう。時代
は変わった。俺ももう年だな。
나도 이번엔 의욕이 사라졌어. 내가 젊었을 적엔 호되게 배우면서 일했는데, 지금은 같은 방법으로
지도하면 권력 남용이다 뭐다 앙갚음만 당하고 말지. 시대는 바뀌었어. 나도 이제 나이를 먹은 거야.

トン ハア……お前ともいろいろあったが、少々やりすぎた。
❹ ___________________。
하……, 너와도 많은 일이 있었지. 내가 좀 지나쳤어. 지금까지 미안했다.

烈子 トン部長……。 황돈 부장님…….

烈子 私こそ、至らないことばかりですみません。これからも
❺ ___________________。
저야말로 부족한 점이 많아서 죄송합니다. 앞으로도 지도 부탁드려요.

B | 다음 빈칸을 채워 문장을 완성해 보세요.

1 서른이 되기 전에 결혼할 생각입니다.

30になる前に ___________________。

2 내년에는 여름 축제에 참가해서 불꽃놀이를 즐길 생각이다.

来年は、夏祭りに参加して花火を ___________________。

3 냉장고에 있던 유통기한이 지난 치즈를 먹고 배탈이 나고 말았습니다.

冷蔵庫にあった賞味期限切れのチーズを食べて、お腹を

___________________。

4 그 아이는 배가 고픈 나머지 슈퍼에서 식빵을 훔치고 말았다.

その子供はお腹がすいていたあまり、スーパーで食パンを ___________

___________________。

5 저는 매일 이어지는 잔업으로 인해 몸이 망가져 버려서 회사를 그만두었습니다.

私は、連日の残業で体を ___________________ から、会社を辞めた
のです。

歌でガチバトル

노래로 진검승부

사장에게 고자질한 직원을 알아내려고 벼르던 황돈 부장에게 드디어 걸린 레츠코. 두 사람은 회식 자리에서 노래 배틀을 벌이게 됩니다. 황돈 부장이 무대 위에 올라가 소위 옛날 사람임을 어필하는 랩을 펼치지요. 그리고 레츠코의 결혼 심리와 남의 눈에 띄지 않고 성실하게만 살려는 성격을 대차게 지적합니다. 노래 배틀에서 일방적으로 정신 공격을 당하는 레츠코와 황돈 부장의 랩에 열광하는 직원들. 그 와중에도 하이다는 황돈한테 한 방 먹이라며 레츠코를 응원합니다!

워밍업! **오늘 배울 표현** 오늘 등장하는 표현들입니다. 어떤 표현이 들어가야 할지 생각해 보세요.

* ＿＿＿＿＿＿＿、みんなもしてるから。 그거야 다들 그렇게 하니까.

* なんでお前は＿＿＿＿＿＿＿＿＿＿＿＿＿。 왜 너는 결혼하고 싶어 하지?

* ＿＿＿＿＿＿＿＿＿＿！ 디스를 날렸다고!

* ＿＿＿＿＿＿＿でいいのかよ？ 그냥 듣고만 있을 거야?

오디오 파일을 듣고 3번 따라 말해보세요.　🎧 21-1.mp3

トン
황돈

In 1987、T-O-N新卒で採用。
バブルの落とし子がゆとりのお前に物申す。
おい、烈子、なんでお前は仕事をしてる。

In 1987, T-O-N, 졸업하자마자 채용됐다네.
거품 경제 시대의 산물인 내가 유토리 세대인 너한테 해줄 말이 있다.
이봐, 레츠코, 왜 너는 일을 하지?

女性コーラス
여성 코러스

だって、みんなもしてるから。❶

그거야 다들 그렇게 하니까.

トン
황돈

おい、烈子、なんでお前は結婚したがる。❷

이봐, 레츠코, 왜 너는 결혼하고 싶어 하지?

女性コーラス
여성 코러스

だって、みんなもしてるから。

그거야 다들 그렇게 하니까.

トン
황돈

常識的言動、はみ出ねえ傾向、
周囲の評価は真面目ないい子。
それ以上でも以下でもねえ。
つまりお前にゃ欠けてる、フィロソフィー(哲学)。

상식적인 언행, 수수한 성격,
주위의 평가는 성실하고 착한 아이.
그 이상도, 그 이하도 아니야.
즉, 너한테는 없어, 필로소피(철학).

観客
관객

トン！トン！トン！トン！

황돈! 황돈! 황돈! 황돈!

フェネ子
페네코

アハハ！烈子、ディスられてる、ディスられてる！❸ そして当たってる〜。

아하하핫! 레츠코, 부장님이 너한테 디스를 날렸어. 디스를 날렸다고! 그리고 맞는 말이야!

烈子
레츠코

うるさいな！

시끄러워!

ハイ田
하이다

烈子！烈子！烈子！烈子〜！言われっぱなしでいいのかよ？❹ 悔しくねえの
かよ？

레츠코! 레츠코! 레츠코! 레츠코! 그냥 듣고만 있을 거야? 분하지 않아?

観客
관객

烈子！烈子！烈子！烈子！

레츠코! 레츠코! 레츠코! 레츠코!

❶ だって、みんなもしてるから。 그거야 다들 그렇게 하니까.

だって는 '하지만 그건, 그래도, 그렇게 말해도'라는 뜻으로, 이 말 다음에는 상대방이 한 말에 대해 반박하는 의견 등이 이어집니다. 예를 들어 お兄ちゃんを殴ってどうするの!(오빠를 때리면 어쩌니!)라는 말에 だって、お兄ちゃんが先にひどいこと言ったもん!(하지만 오빠가 먼저 나쁜 말을 했단 말이야!)이라고 말하는 것처럼 말이죠. だって는 자신이 한 말에 이유를 덧붙일 때도, 상대방의 물음에 답할 때도 쓸 수 있는 でも(하지만), なぜなら(왜냐하면)와 의미가 비슷합니다. 다만, 일반적으로 だって는 상대방의 질문에 대해 대답할 때만 사용한답니다.

* A：その汚れた服をまた着るの？ 그 더러운 옷을 또 입는 거야?
* B：ああ。**だって、**忙しくて洗ってる暇もないし、他に替えもないから。
　아아, 하지만 바빠서 빨 틈도 없고, 달리 입을 옷도 없으니까.

❷ なんでお前は結婚したがる。 왜 너는 결혼하고 싶어 하지?

～たがる는 '～하고 싶다'라는 뜻으로 동작과 관련된 욕구나 희망을 드러낼 때 쓰이는 표현입니다. ～たい(～하고 싶다)는 마음에서 생기는 소망이나 바람을 뜻하는 반면, ～たがる는 마음속 소망과 바람이 '태도나 언행으로 나타나는 것'을 묘사하는 뉘앙스가 있지요. ～たがる는 주어의 원하는 마음을 헤아리는 표현이 아니고 그저 드러난 행동을 묘사할 뿐입니다. ～たいみたいです(～하고 싶은 것 같아요), ～たいらしいです(～하고 싶은가 봐요), ～たいって言ってました(～하고 싶다고 했어요), ～たいんです(～하고 싶은 거예요)처럼 제삼자의 마음을 헤아리는 표현을 쓰는 게 좋아요.

★ 애니 속 패턴 익히기 1

❸ ディスられてる! 디스를 날렸다고!

젊은 세대의 말로 '디스하다'라는 표현을 일본어로 ディスる 라고 해요. 영어 disrespect(존경하지 않다)에서 파생된 단어로 누군가를 '바보 취급 하다, 깎아내리다'라는 뜻입니다. 그래서 정당한 비판이 아니라 인격 부정이나 실패 등으로 상대방에게 모욕감을 주는 뉘앙스로 사용될 때가 많아요.

* 彼は自分のSNSに有名人を**ディスる**投稿をして、すぐネットで炎上した。
　그는 자신의 SNS에 유명인을 디스하는 글을 올려서 인터넷에서는 금세 난리가 났다.
* あのラッパーはラップバトルで相手と**ディスり合った。** 그 래퍼는 랩 배틀에서 상대와 서로 디스했다.

❹ 言われっぱなしでいいのかよ？ 그냥 듣고만 있을 거야?

～っぱなし는 '～인 상태로 놔두다, ～인 상태가 쭉 이어지다'라는 뜻입니다. 일반적으로 割れる(깨지다), 溶ける(녹다) 등과 같은 변화 동사(～ている를 붙였을 때 변화의 결과가 남아 있는 의미의 동사)와 함께 사용해서 어떤 결과를 방치한다는 의미를 드러내지요. 애니메이션 속 장면에서는 言う(말하다) 같은 동작 동사(～ている를 붙였을 때 동작이 계속 진행되는 동사)에 ～っぱなし가 붙어서, 깎아내리는 말을 그저 듣고만 있는 방치의 상황을 표현하고 있습니다. 한편, 彼は30分間ずっと話しっぱなしで、こっちは何もできなかった(그는 30분간 쉬지도 않고 말을 해대서, 이쪽은 아무것도 할 수 없었다)처럼 '쉬지 않고 계속 ～하다'라는 뜻으로도 쓰입니다.

★ 애니 속 패턴 익히기 2

오늘 배운 장면에서 뽑은 핵심 패턴으로 다양한 표현을 만들어보세요.

🎧 21-2.mp3

❶ 동사 + たがる　　　　　　　　　　　　　　　　　　　　~하고 싶어 하다

1　祖母は有名な温泉街に**行きたがっています**。　할머니는 유명한 온천 마을에 가고 싶어 하십니다.

2　彼はずっとクラシックカーを**買いたがっていた**。　그는 줄곧 클래식카를 사고 싶어 했다.

3　多くの読者がそのシリーズの結末を ＿＿＿＿＿＿＿＿＿＿＿＿＿＿＿＿ 。
많은 독자가 그 시리즈의 결말을 알고 싶어 합니다.

4　きれいずきの彼女は、倉庫に積み上げられた荷物を ＿＿＿＿＿＿＿＿＿＿＿＿＿ 。
깔끔한 걸 좋아하는 그녀는 창고에 쌓인 짐을 정리하고 싶어 했다.

5　娘は海外へ ＿＿＿＿＿＿＿＿＿＿＿＿＿＿＿ 。　딸은 해외로 유학을 가고 싶어 한다.

❷ 동사 + っぱなし　　　　　　　　　~인 상태로 놔두다, ~인 상태가 쭉 이어지다

1　なかなか来ないバスを待っているあいだ、私はずっと**立ちっぱなし**だった。
좀처럼 오지 않는 버스를 기다리는 동안, 나는 줄곧 서 있었다.

2　その傘は、持ち主が取りに来なかったせいで、しばらく傘立てに**置きっぱなし**になっていました。
그 우산은 주인이 가지러 오지 않아서 한동안 우산꽂이에 놓인 상태였습니다.

3　慌てて家を出たために、玄関のドアを ＿＿＿＿＿＿＿＿＿＿＿＿ にしてしまった。
서둘러 집을 나오는 바람에 현관 문을 연 채로 두고 말았다.

4　シーズン中ずっとあのチームは ＿＿＿＿＿＿＿＿＿＿＿＿ だったので、ファンからの不満の声が上がった。
시즌 중에 계속 그 팀은 지기만 해서 팬으로부터 불만의 소리가 나왔다.

5　6時間も ＿＿＿＿＿＿＿＿＿＿＿＿ で、私は疲れきってしまった。
6시간이나 운전을 계속한 탓에 나는 완전히 지쳐버리고 말았다.

A | 애니메이션 속 대화를 완성해 보세요.

トン　In 1987、T-O-N ❶ ____________________。バブルの落とし子がゆとりの ❷ ____________________。おい、烈子、なんでお前は仕事をしてる。

In 1987, T-O-N, 졸업하자마자 채용됐다네. 거품 경제 시대의 산물인 내가 유토리 세대인 너한테 해줄 말이 있다. 이봐, 레츠코, 왜 너는 일을 하지?

女性コーラス　だって、❸ ____________________。　その거야 다들 그렇게 하니까.

トン　おい、烈子、なんでお前は結婚したがる。

이봐, 레츠코, 왜 너는 결혼하고 싶어 하지?

女性コーラス　だって、みんなもしてるから。　그거야 다들 그렇게 하니까.

トン　常識的言動、❹ ____________________ 傾向、周囲の評価は真面目ないい子。それ ❺ ____________________ ねえ。つまりお前にゃ欠けてる、フィロソフィー(哲学)。

상식적인 언행, 수수한 성격, 주위의 평가는 성실하고 착한 아이. 그 이상도, 그 이하도 아니야. 즉, 너한테는 없어. 필로소피(철학).

観客　トン！ トン！ トン！ トン！　황돈! 황돈! 황돈! 황돈!

B | 다음 빈칸을 채워 문장을 완성해 보세요.

1　할머니는 유명한 온천 마을에 가고 싶어 하십니다.

祖母は有名な温泉街に ____________________。

2　그는 줄곧 클래식카를 사고 싶어 했다.

彼はずっとクラシックカーを ____________________。

3　좀처럼 오지 않는 버스를 기다리는 동안, 나는 줄곧 서 있었다.

なかなか来ないバスを待っているあいだ、私はずっと ____________________ ____________________ だった。

4　그 우산은 주인이 가지러 오지 않아서 한동안 우산꽂이에 놓인 상태였습니다.

その傘は、持ち主が取りに来なかったせいで、しばらく傘立てに ____________________ になっていました。

5　시즌 중에 계속 그 팀은 지기만 해서 팬으로부터 불만의 소리가 나왔다.

シーズン中ずっとあのチームは ____________________ だったので、ファンからの不満の声が上がった。

정답 A

❶ 新卒で採用
❷ お前に物申す
❸ みんなもしてるから
❹ はみ出ねえ
❺ 以上でも以下でも

정답 B

1 行きたがっています
2 買いたがっていた
3 立ちっぱなし
4 置きっぱなし
5 負けっぱなし

好きな人いる?

좋아하는 사람 있어?

불타는 노래 배틀의 회식이 끝난 후, 은밀한 회동 장소인 노래방에 다시 모인 레츠코와 릴라, 수리미. 레츠코는 다행히 자신의 데스메탈 취향이 드러나지 않았다는 사실에 안도합니다. 그런데 항상 발랄한 릴라가 실연을 당해 펑펑 울며 슬퍼합니다. 그리고 실연을 빌미로 릴라는 괜히 레츠코의 집까지 따라가 하룻밤 묵으며 밤새도록 레츠코를 귀찮게 하지요.

 **워밍업!** 오늘 배울 표현   오늘 등장하는 표현들입니다. 어떤 표현이 들어가야 할지 생각해 보세요.

* 烈子の「真面目ないい子」のイメージは ＿＿＿＿＿＿＿＿ってこと？

레츠코의 '성실하고 착한 애'라는 이미지는 무사하다고?

* ＿＿＿＿＿＿＿＿だと思って。 남의 일이라고 그렇게 말씀하시다니.

* でも石になるなんて ＿＿＿＿＿＿＿＿ですよ。

그래도 돌이 되다니 어지간히 큰일 아닌가요.

鷲美
수리미

じゃあ、**烈子の「真面目ないい子」のイメージは保たれたままってこと？** ❶

그래서 레츠코의 '성실하고 착한 애'라는 이미지는 무사하다고?

烈子
레츠코

そうみたいですね。

그런 것 같아요.

鷲美
수리미

何だ、つまんない。

뭐야, 재미없네.

烈子
레츠코

もう、**他人事だと思って。** ❷ あの、ところで……さっきからゴリ部長が隣で石になって固まってるんですけど。

아이참, 남의 일이라고 그렇게 말씀하시다니. 저어, 그런데…… 아까부터 릴라 부장님이 옆에서 돌이 되어 굳어 계시는데요.

鷲美
수리미

ああ、いいのよ。気にしないで。

아아, 괜찮아. 걱정하지 마.

烈子
레츠코

でも……。

그래도…….

鷲美
수리미

めんどくさいことになるからほっときなさい。

귀찮아지니 그냥 놔둬.

烈子
레츠코

でも石になるなんてよっぽどですよ。 ❸ 何かあったんですか？

그래도 돌이 되다니 어지간히 큰일 아닌가요. 무슨 일 있으셨어요?

鷲美
수리미

失恋したのよ。

실연당했어.

ゴリ
릴라

でも、まだ好きなの～！

하지만 아직 사랑하는데!

ゴリ
릴라

確かに私も仕事を言い訳にしすぎちゃったとこはあるわよ。でも私だっていろいろ我慢してたし、いろいろ許してあげてきたじゃない。それがいけなかったのかな？何しても許されると思わせちゃったのかな？

하긴 나도 일 핑계를 너무 자주 대긴 했어. 하지만 나도 이것저것 많이 참고 용서도 해줬잖아. 그게 잘못이었던 걸까? 뭐든지 다 받아줄 거라고 생각하게 한 걸까?

ゴリ
릴라

お互い分かり合えるなんて思っちゃうのが間違いなんだよね。だって、二人とも違う世界を見てるんだもの。聞いてる？烈子。

서로를 이해할 수 있다고 생각한 게 잘못인가 봐. 결국 우린 다른 세계를 보고 있으니까. 듣고 있니? 레츠코.

烈子
레츠코

だから、何で家までついて来ちゃうんですか！

그러니까 왜 집까지 따라오셨어요!

113

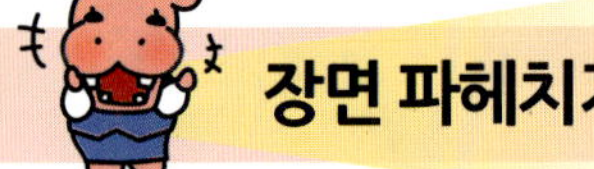

❶ 烈子の「真面目ないい子」のイメージは保たれたままってこと？
레츠코의 '성실하고 착한 애'라는 이미지는 무사하다고?

〜ままは '〜한 채, 〜한 상태를 그대로 유지하다'라는 뜻으로, 특정 상태가 변하지 않고 계속 이어짐을 드러낼 때 쓰는 표현이에요. 그런데 〜まま와 뜻이 비슷한 표현이 많습니다. 〜っぱなし도 의미가 비슷한데 '치우지도 않고 그냥 방치하다'라는 뉘앙스가, 〜まま는 '깜박 잊고 그냥 두다'라는 어감의 차이가 있습니다. 또한 〜ながら는 '〜하면서, 〜한 채로'의 뜻으로 순간적인 동사(立つ, 死ぬ, 借りる)와 주로 결합하는 반면, 〜ながら는 순간적이지 않은 동사(食べる, 読む)와 함께 써요.

★애니 속 패턴 익히기 1

❷ 他人事だと思って。 남의 일이라고 그렇게 말씀하시다니.

여러분은 他人事라는 말을 어떻게 읽나요? 他人事는 일반적으로 ひとごと라고 읽지만, 사전에 따라서는 たにんごと라는 독음 역시 인정하고 있습니다. 他人事는 '자신과 상관없는 남의 일'이라는 뜻으로 쓰이는 유용한 표현이랍니다. 또한 ひとごと라는 발음에서 추측할 수 있듯이 ひと는 '사람'이라는 뜻 말고도 '남, 타인'이라는 의미도 있다는 점을 꼭 알아두세요. 예를 들어, 人の事を悪く言う(남을 나쁘게 말하다)처럼 말이지요.

* 彼は自分の部署で起こったトラブルに対し、まるで他人事のような顔をしていた。
그는 자신의 부서에서 일어난 문제에 대해 마치 남의 일이라는 듯한 얼굴을 했다.

* どうせ他人事なんだから、そんなこと気にする必要ないよ。 어차피 남의 일이니까 그런 거 신경 쓸 필요 없어.

❸ でも石になるなんてよっぽどですよ。 그래도 돌이 되다니 어지간히 큰일 아닌가요.

이 장면 속에서 よっぽど는 '상당히, 어지간히'라는 의미로, 추측의 뜻을 내포하고 있습니다. よほど의 힘줌말이지요. よほど는 주로 글이나 발표 등에 쓰여서 좀 더 공적인 느낌이 있고, 그 외의 경우에는 대체로 よっぽど를 사용합니다. よっぽど는 어느 정도를 넘은 상태를 표현할 때 사용하며, 감정이 끓어오르기 일보 직전이어서 조금만 더 정도를 넘으면 행동을 일으킬 것만 같은 뉘앙스를 갖고 있어요.

★애니 속 패턴 익히기 2

오늘 배운 장면에서 뽑은 핵심 패턴으로 다양한 표현을 만들어보세요.

🎧 22-2.mp3

❶ 동사 · 형용사 · 명사 + まま

~한 채, ~한 상태를 그대로 유지하다

1 彼は、恋人と大喧嘩して家を**出たまま**、いまだに帰ってこない。
그는 연인과 크게 싸우고 집을 나간 채 아직도 돌아오지 않는다.

2 では、その噂について**聞いたまま**を話してください。 그럼 그 소문에 대해 들은 그대로 말해주세요.

3 ピザを電子レンジにかけたけれど、出したら ＿＿＿＿＿＿＿＿＿＿ だった。
피자를 전자레인지에 돌렸는데도 꺼냈더니 여전히 차가운 상태였다.

4 他の地域は防犯に力を入れていますが、ここは街灯もなく ＿＿＿＿＿＿＿＿＿＿ です。
다른 지역은 방범에 힘을 싣고 있지만, 여기는 가로등도 없이 위험한 상태입니다.

5 10年ぶりに帰った故郷は、＿＿＿＿＿＿＿＿＿＿ だった。 10년 만에 돌아온 고향은 예전 그대로였다.

❷ よっぽど

상당히, 어지간히

1 そんなに真っ青な顔になるなんて、**よっぽど怖かったんだろう**。
그렇게 얼굴이 새파래지다니, 어지간히 무서웠나 보다.

2 **よっぽど大変な**ことがあったのか、難民たちの服はボロボロだった。
어지간히 힘들었는지, 난민들의 옷은 너덜너덜했다.

3 息子は ＿＿＿＿＿＿＿＿＿＿ のか、帰りの電車のなかで眠ってしまったそうだ。
아들은 어지간히 피곤했는지, 돌아가는 전철 안에서 잠들어 버렸다고 한다.

4 あんなに素晴らしい演奏を見せてくれるなんて、彼女は ＿＿＿＿＿＿＿＿＿＿ んでしょうね。
그렇게 멋진 연주를 보여주다니, 그녀는 상당히 많이 연습한 모양이군요.

5 いつもは優しい彼が本気で怒っているなんて、＿＿＿＿＿＿＿＿＿＿ に違いない。
항상 부드러운 그가 화를 내다니 어지간한 일이 있었던 게 분명해.

정답 ❶ 3 冷たいまま 4 危険なまま 5 昔のまま
　　 ❷ 3 よっぽど疲れていた 4 よっぽど練習した 5 よっぽどのことがあった

확인학습 문제를 풀며 오늘 배운 표현을 완벽히 내 것으로 만드세요.

A | 애니메이션 속 대화를 완성해 보세요.

鷲美　ああ、いいのよ。**❶**______________。 아아, 괜찮아. 걱정하지 마.

烈子　でも……。 그래도…….

鷲美　**❷**______________ からほっときなさい。 귀찮아지니 그냥 놔둬.

烈子　でも石になるなんてよっぽどですよ。何かあったんですか？
그래도 돌이 되다니 어지간히 큰일 아닌가요. 무슨 일 있으셨어요?

鷲美　失恋したのよ。 실연당했어.

ゴリ　でも、まだ好きなの〜！ 하지만 아직 사랑하는데!

ゴリ　確かに私も仕事を**❸**______________ とこはあるわよ。でも私だっていろいろ**❹**______________、いろいろ許してあげてきたじゃない。それがいけなかったのかな？何しても許されると思わせちゃったのかな？
하긴 나도 일 핑계를 너무 자주 대긴 했어. 하지만 나도 이것저것 많이 참고 용서도 해줬잖아. 그게 잘못이었던 걸까? 뭐든지 다 받아줄 거라고 생각하게 한 걸까?

ゴリ　**❺**______________ なんて思っちゃうのが間違いなんだよね。だって、二人とも違う世界を見てるんだもの。
서로를 이해할 수 있다고 생각한 게 잘못인가 봐. 결국 우린 다른 세계를 보고 있으니까.

B | 다음 빈칸을 채워 문장을 완성해 보세요.

1　그는 연인과 크게 싸우고 집을 나간 채 아직도 돌아오지 않는다.

彼は、恋人と大喧嘩して家を______________、いまだに帰ってこない。

2　그럼 그 소문에 대해 들은 그대로 말해주세요.

では、その噂について______________を話してください。

3　그렇게 얼굴이 새파래지다니, 어지간히 무서웠나 보다.

そんなに真っ青な顔になるなんて、______________。

4　어지간히 힘들었는지, 난민들의 옷은 너덜너덜했다.

______________ ことがあったのか、難民たちの服はボロボロだった。

5　항상 부드러운 그가 화를 내다니 어지간한 일이 있었던 게 분명해.

いつもは優しい彼が本気で怒っているなんて、______________に違いない。

合コンに参戦

미팅에 참전

수리미와 릴라는 레츠코가 미팅에 나간다는 소식을 듣고 깜짝 놀랍니다. 미팅이 처음이라며 수줍어하는 레츠코에게 미팅에서 운명적인 연인을 만날 수도 있고, 사랑에 빠질 수도 있다며 응원합니다. 한편, 하이다는 마음에 두고 있던 레츠코가 미팅에 나간다는 소식에 왜 그걸 막지 못했느냐며 페네코를 탓합니다. 하이다의 짝사랑을 응원하는 페네코는 자신이 미팅에 나온 남자들에게서 레츠코를 지키겠다고 굳은 결의를 보이며 하이다를 다독입니다.

워밍업! 오늘 배울 표현 오늘 등장하는 표현들입니다. 어떤 표현이 들어가야 할지 생각해 보세요.

* ごちゃごちゃ 　　　　　　　　　　　　　　、ステージに上がるのよ。
이래저래 말하지 말고 일단 나가봐.

* なっんで、お前までぬるっと 　　　　　　　　　　　してんだよ!
왜 너까지 미팅에 나가는 거야!

* 相手を自分のペースに巻き込む 　　　　　　　　　　とは……。
상대를 자기 페이스로 끌어들이는 솜씨가 뛰어날 줄이야…….

* 刺客として参戦する 　　　　　　　　　　　　。 자객으로 참가하겠다는 뜻이구나.

烈子
レツコ
運命の人って……私、そんな惚れっぽいタイプじゃないですし。
천생연분이라니……. 저는 그리 쉽게 사랑에 빠지는 타입도 아니에요.

鷲美
수리미
烈子、ごちゃごちゃ言ってないで、ステージに上がるのよ。❶
레츠코, 이래저래 말하지 말고 일단 나가봐.

ゴリ
릴라
条件さえ揃えば……。
상황만 잘 맞아떨어지면…….

鷲美
수리미
恋に落ちるときは……。
사랑에 빠지는 건…….

鷲美・ゴリ
수리미 · 릴라
一瞬よ！
한순간이야!

烈子
레츠코
ハア～。
하아.

ハイ田
하이다
なっんで、お前までぬるっと合コンに参加してんだよ！❷
왜 너까지 미팅에 나가는 거야!

フェネ子
페네코
私が聞きたいよ。正直見くびってた。角田があそこまで相手を自分のペースに巻き込む技に長けてるとは……。❸
내가 묻고 싶다. 솔직히 과소평가했어. 쓰노다가 그렇게까지 상대를 자기 페이스로 끌어들이는 솜씨가 뛰어날 줄이야…….

フェネ子・ハイ田
페네코 · 하이다
ハア……。
휴…….

フェネ子
페네코
でも安心して……私、守るから。
하지만 걱정 마……. 내가 지켜줄 테니.

ハイ田
하이다
あ？
뭐?

フェネ子
페네코
血に飢えた男どもの攻撃から、烈子を全力で守るから。
피에 굶주린 남자들의 공격으로부터 최선을 다해 레츠코를 지킬게.

ハイ田
하이다
刺客として参戦するってことか。❹ 頼むわ、フェネ子。お前しか頼りになる奴いねえからさ。
자객으로 참가하겠다는 뜻이구나. 부탁해, 페네코. 너 말고 의지할 사람도 없으니까.

フェネ子
페네코
任しといて。
내게 맡겨줘.

❶ ごちゃごちゃ言ってないで、ステージに上がるのよ。 이래저래 말하지 말고 일단 나가봐.

~ないでは '~하지 않고'라는 뜻으로, 동사의 부정형인 ない형과 함께 결합하여 쓰이지요. 애니메이션 장면에서는 言ってる의 ない형을 활용하여 '말하지 말고'라는 의미를 갖게 된 것입니다. 참고로 ~なくて(~하지 않아서, 못 해서)는 일어나지 않은 행위로 인해 생기는 감정이나 결과 등을 뜻한답니다. 예를 들어, 足元がよく見えなくて転んでしまった(발밑이 잘 안 보여서 넘어지고 말았다)는 足元がよく見えなくて(이유) 때문에 転んでしまった(결과)가 생긴 것이지요. '~하지 않아도'라는 뜻으로는 ~なくても를 사용합니다.

★ 애니 속 패턴 익히기 1

❷ なんで、お前までぬるっと合コンに参加してんだよ！ 왜 너까지 미팅에 나가는 거야!

合コン은 合同コンパ의 준말로, 남녀가 친목을 다지고자 합동으로 여는 술자리를 뜻합니다. コンパ는 영어 단어 company에서 유래한 말입니다. 合コン은 飲み会(술자리)와 같은 뜻이기도 하지만, 최근에는 술을 마시지 않는 合コン도 있다고 합니다. 원래는 대학생들 사이에서 시작된 문화인데, 지금은 사회인까지 폭넓게 즐기는 모임이라는 의미로 더 많이 쓰여요. 남녀의 만남을 주선하는 모임으로 合コン말고도 마을 단위로 이루어지는 街コン, 가게를 통째로 빌려서 하는 店コン, 공통 취미를 가진 사람끼리 만나는 趣味コン도 있답니다.

* A：お前、大学に入ってから合コンにはいつも参加してるんだってな。

    너, 대학 입학하고 나서 미팅에는 꼭 참석한다며?

    B：だって、彼氏とか男友達とかが欲しいんだもん！ 그거야 남자 친구나 그냥 이성 친구도 사귀고 싶으니까!

❸ 相手を自分のペースに巻き込む技に長けてるとは……。

    상대를 자기 페이스로 끌어들이는 솜씨가 뛰어날 줄이야……。

~に長けるは 어느 분야에서 자질이나 재능이 뛰어나거나 경험을 통해 어느 정도 숙달된 상태, 즉 '뛰어나다'라는 뜻을 갖고 있습니다. 주로 사람을 대상으로 쓰는 표현이지만, 무생물이 주어일 때도 쓸 수 있지요. 경험을 쌓고 오직 능력에만 한정된 長ける와는 달리, 優れる는 능력뿐 아니라 가치나 용모 등이 다른 것보다 훨씬 뛰어남을 의미합니다. 秀でる는 남들보다 훨씬 뛰어나서 돋보임을 강조하는 뉘앙스가 있다는 점에서 차이가 있지요.

* 彼女はピアノに長けていて、いつもコンクールで優勝している。

    그녀는 피아노 실력이 뛰어나서 항상 콩쿠르에서 우승한다.

* 今度引っ越す家は駅にも近く、とても利便性に長けている。

    이번에 이사하는 집은 역과도 가까워서 아주 편리한 곳이다.

❹ 刺客として参戦するってことか。 자객으로 참가하겠다는 뜻이구나.

~ってことは ~ということ의 구어체입니다. ~ということ는 '~라는 뜻이다'라는 의미로, 어떤 상황에 대해 이해한 내용을 정리하여 다시 말할 때 쓰는 표현입니다. 애니메이션에서는 말끝에 か가 붙었는데, 이는 어떤 사실을 알게 됐을 때의 깨달음을 표현하는 조사입니다. 그래서 어떤 의미나 의도를 깨닫게 되면 ~ってことか！라고 말할 수 있지요. 이뿐 아니라 明後日は雨が降るということだ(내일모레 비가 내린다고 한다)처럼 외부에서 얻은 정보를 전달할 때도 사용하니 그 차이를 알아두면 좋아요.

★ 애니 속 패턴 익히기 2

🎧 23-2.mp3

❶ 동사 + ないで
~하지 않고

1 区役所までは遠いから、**歩かないで**バスに乗ったほうがいいですよ。
구청까지는 머니까 걷지 말고 버스를 타는 게 더 좋아요.

2 そんなところで**遊んでないで**、早く仕事しなさい。　그런 곳에서 놀지 말고 빨리 일해라.

3 昨日は疲れていたので、お風呂にも ＿＿＿＿＿＿＿＿＿＿ すぐ寝てしまった。
어제는 피곤해서 목욕도 하지 않고 바로 잠들어 버렸다.

4 中に人がいますから、ドアを ＿＿＿＿＿＿＿＿＿＿ 静かに外に出てください。
안에 사람이 있으니 문을 열지 말고 조용히 밖으로 나가세요.

5 彼は、一生 ＿＿＿＿＿＿＿＿＿＿ 一人で暮らすつもりだ。　그는 평생 결혼하지 않고 혼자 살 생각이다.

❷ 동사·형용사·명사 + ってこと
~라는 뜻이다

1 「立ち入り禁止」っていうのは、**入ってはいけないってこと**です。
'출입금지'라는 건 들어가면 안 된다는 뜻입니다.

2 犬のハーネスを出しているってことは、これから公園を**散歩するってこと**だね。
개의 하네스를 꺼내놓았다는 건 이제부터 공원을 산책한다는 뜻이구나.

3 そんなに慌てて家を出たってことは、とても ＿＿＿＿＿＿＿＿＿＿ だね。
그렇게 급하게 밖으로 나갔다는 건 아주 바쁘다는 거구나.

4 この倉庫が ＿＿＿＿＿＿＿＿＿＿ は、彼が掃除をしたってことですね。
이 창고가 깔끔하다는 건 그가 청소를 했다는 뜻이군요.

5 指輪のダイヤがこんなに簡単に砕けるってことは、これは ＿＿＿＿＿＿＿＿＿＿ だ。
반지의 다이아몬드가 이렇게 간단히 깨지다니 이건 가짜라는 뜻이다.

정답　❶ 3 入らないで　4 開けないで　5 結婚しないで　❷ 3 忙しいってこと　4 綺麗だってこと　5 偽物だってこと

문제를 풀며 오늘 배운 표현을 완벽히 내 것으로 만드세요.

A | 애니메이션 속 대화를 완성해 보세요.

烈子　運命の人って……私、そんな ❶ ＿＿＿＿＿＿＿＿＿＿ じゃないですし。 천생연분이라니……. 저는 그리 쉽게 사랑에 빠지는 타입도 아니에요.

鷲美　烈子、❷ ＿＿＿＿＿＿＿＿＿＿ 言ってないで、ステージに上がるのよ。 레츠코, 이래저래 말하지 말고 일단 나가봐.

ゴリ　条件さえ揃えば……。 상황만 잘 맞아떨어지면…….

鷲美　❸ ＿＿＿＿＿＿＿＿＿＿ ときは……。 사랑에 빠지는 건…….

鷲美・ゴリ　一瞬よ！ 한순간이야!

烈子　ハア～。 하아.

ハイ田　なんんで、お前までぬるっと ❹ ＿＿＿＿＿＿＿＿＿＿ んだよ！
왜 너까지 미팅에 나가는 거야!

フェネ子　私が聞きたいよ。正直見くびってた。角田があそこまで相手を ❺ ＿＿＿＿＿＿＿＿＿＿ 技に長けてるとは……。
내가 묻고 싶다. 솔직히 과소평가했어. 쓰노다가 그렇게까지 상대를 자기 페이스로 끌어들이는 솜씨가 뛰어날 줄이야…….

B | 다음 빈칸을 채워 문장을 완성해 보세요.

1　구청까지는 머니까 걷지 말고 버스를 타는 게 더 좋아요.

区役所までは遠いから、＿＿＿＿＿＿＿＿＿＿バスに乗ったほうがいいですよ。

2　그런 곳에서 놀지 말고 빨리 일해라.

そんなところで ＿＿＿＿＿＿＿＿＿＿、早く仕事しなさい。

3　'출입금지'라는 건 들어가면 안 된다는 뜻입니다.

「立ち入り禁止」っていうのは、＿＿＿＿＿＿＿＿＿＿ です。

4　개의 하네스를 꺼내놓았다는 건 이제부터 공원을 산책한다는 뜻이구나.

犬のハーネスを出しているってことは、これから公園を ＿＿＿＿＿＿
＿＿＿＿＿＿だね。

5　반지의 다이아몬드가 이렇게 간단히 깨지다니 이건 가짜라는 뜻이다.

指輪のダイヤがこんなに簡単に砕けるってことは、これは ＿＿＿＿＿
＿＿＿＿＿＿ だ。

恋に落ちるとき

사랑에 빠질 때

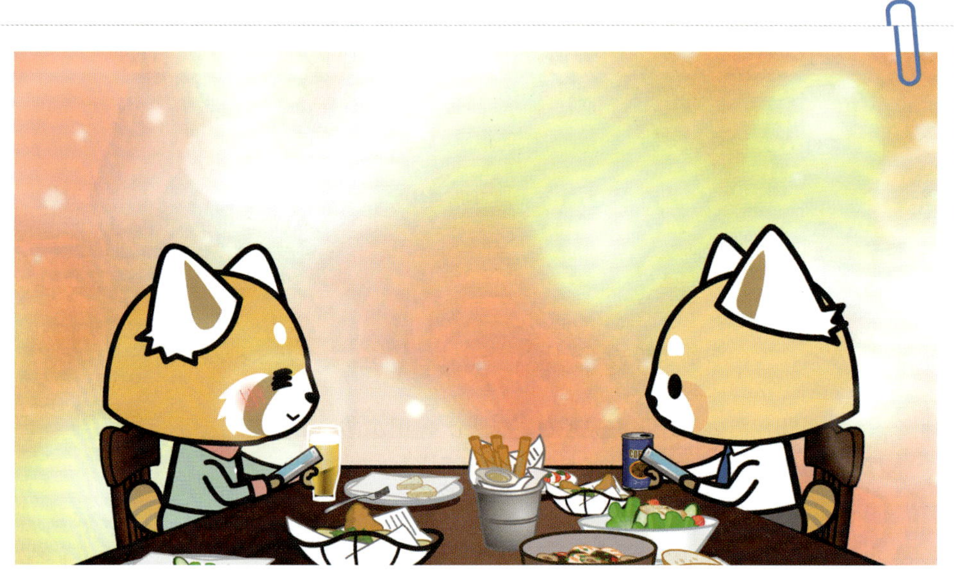

미팅에 나간 레츠코는 다른 참석자들의 떠들썩한 분위기에 적응하지 못하다가, 그냥 있기도 어색해서 바로 앞에서 묵묵히 캔 커피만 마시는 레사스케에게 아무 질문이나 던집니다. 레사스케는 멍한 얼굴로 뭐라고 답하지만, 주변이 너무 시끄러워서 레츠코는 그의 말을 제대로 듣지 못하지요. 그러자 레사스케는 자신의 SNS 계정을 알려주고, 레츠코와 SNS 메시지를 주고받으며 둘만의 조용한 대화를 이어가게 됩니다.

워밍업! 오늘 배울 표현 오늘 등장하는 표현들입니다. 어떤 표현이 들어가야 할지 생각해 보세요.

* ⬜⬜⬜⬜⬜⬜⬜⬜⬜、ボーっとしてたら乗り過ごして遅刻しました。
그때 전철 일은 말이죠, 멍하게 있다가 내릴 역을 놓쳐 지각했어요.

* ⬜⬜⬜⬜⬜⬜⬜⬜⬜缶コーヒー飲んでるんですか？ 왜 캔 커피를 드세요?

* だからって普通缶コーヒー⬜⬜⬜⬜⬜⬜⬜⬜⬜⬜。
보통은 그렇다고 해서 캔 커피를 마시진 않잖아요.

れさすけ (ぱくぱく……。)
레사스케 (뻐끔, 뻐끔…….)

烈子 [えっ、今何か言った?]
레츠코 [앗, 지금 뭔가 말한 건가?]

れさすけ (ぱくぱくぱくぱく。)
레사스케 (뻐끔, 뻐끔, 뻐끔, 뻐끔.)

一同 アハハハハハハハ!
일동 아하하하하하하!

烈子 [声ちっさ……。]
레츠코 [목소리가 너무 작아…….]

烈子 え? すみません、ちょっとうるさくて。
레츠코 네? 죄송해요. 조금 시끄러워서.

烈子 えっ?
레츠코 응?

れさすけ ……。
레사스케 …….

れさすけ (電車の件ですが、ボーっとしてたら乗り過ごして遅刻しました。❶)
레사스케 (그때 전철 일은 말이죠, 멍하게 있다가 내릴 역을 놓쳐 지각했어요.)

烈子 (ひとつ、お聞きしていいですか?)
레츠코 (뭐 하나 여쭤봐도 돼요?)

れさすけ (どうぞ。)
레사스케 (그럼요.)

烈子 (どうして缶コーヒー飲んでるんですか?❷)
레츠코 (왜 캔 커피를 드세요?)

れさすけ (お酒、苦手なんです。)
레사스케 (술을 잘 못 마셔요.)

烈子 (だからって普通缶コーヒー飲まないでしょ。❸)
레츠코 (보통은 그렇다고 해서 캔 커피를 마시진 않잖아요.)

장면 파헤치기

구문 설명과 예문으로 이 장면의 핵심 표현을 완벽히 이해하세요.

❶ 電車の件ですが、ボーっとしてたら乗り過ごして遅刻しました。
그때 전철 일은 말이죠. 멍하게 있다가 내릴 역을 놓쳐 지각했어요.

일본어 비즈니스 회화에서 흔히 들을 수 있는 件은 특정한 일이나 안건, 사건 등 대화에 참여한 사람들이 공통적으로 알고 있는 정보를 언급하는 의미로 사용됩니다. 예를 들어, 先日のクレームの件はどうなりましたか？(얼마 전 클레임 건은 어떻게 됐나요?)처럼 말이지요. 또한 一件、二件과 같이 클레임, 문제, 거래, 자동 응답기에 녹음된 음성 수, 인터넷 조회 수를 세는 단위로도 쓰이지요.

* A : 先輩、今日も残業だって聞いたんですけど。 선배, 오늘도 잔업한다고 들었는데요.
  B : うん、処理しなきゃなんない作業が2件も残ってるんだ。 응, 처리해야 할 작업이 두 건이나 남아 있거든.

❷ どうして缶コーヒー飲んでるんですか？ 왜 캔 커피를 드세요?

どうして는 '왜, 어째서'의 뜻으로, 상대방에게 원인이나 이유를 물을 때 사용되는 격식 없는 표현이지요. 주로 말하는 사람의 감정을 담거나 혹은 그냥 이유가 궁금해서 물어볼 때 쓸 수 있답니다. なんで는 구어체로 일상 대화에서 주로 사용되는 표현이고, なぜ는 지식 탐구나 학술적인 내용에 자주 등장하는 단어로, 아주 이성적인 뉘앙스가 있어 문어체로 사용되고 정중하며 다소 딱딱한 인상을 주지요. 책을 많이 읽는 지식층은 대화에서 なぜ를 사용하기도 한답니다.

★ 애니 속 패턴 익히기 1

❸ だからって普通缶コーヒー飲まないでしょ。 보통은 그렇다고 해서 캔 커피를 마시진 않잖아요.

〜でしょ는 기본형인 〜でしょう에서 끝의 장음 う가 단음으로 줄어든 구어체입니다. 주로 상대방에게 확인을 구하거나 동의해 줄 것을 기대하며 묻는 표현으로 '〜하잖아요, 안 그래요?'라는 뜻이지요. 이 장면에서 레츠코가 쓴 웃음을 지으며 묻는데, 〜でしょう의 말끝을 끌어 올리면 부드럽게 물음을 던지는 뉘앙스가 있습니다. 반대로 말끝을 세게 내리면 따지거나 주장하는 느낌을 주지요. 〜でしょう는 정중함을 나타내는 〜です의 추측형이지만, 상대방을 높이는 뜻은 그다지 없어서 정중하게 표현하려면 〜ますよね나 〜ですよね를 사용하여 말끝을 올려 말해야 합니다.

★ 애니 속 패턴 익히기 2

오늘 배운 장면에서 뽑은 핵심 패턴으로 다양한 표현을 만들어보세요.

🎧 24-2.mp3

❶ どうして

왜, 어째서

1 **どうしてそんな**ひどいことを言うの？　왜 그렇게 심한 말을 하는 거야?

2 昨日**どうして欠席**したんですか？　어제 왜 결석했나요？

3 出張だと聞いたんですが、＿＿＿＿＿＿＿＿＿＿帰って来られたんですか？
출장이라고 들었는데 왜 벌써 돌아오셨나요？

4 真面目に話しているのに、＿＿＿＿＿＿＿＿＿＿？　진지하게 이야기하는데 너는 왜 웃었어？

5 こっちの服の方が安いのに、＿＿＿＿＿＿＿＿＿＿選んだんでしょうか。
이쪽 옷이 싼데 왜 그쪽을 골랐나요？

❷ 동사・형용사 + でしょ

～하잖아요?

1 ここまで走ってきて、**疲れたでしょ**。　여기까지 뛰어오느라 힘들었죠？

2 勉強ばっかりしていると、**時々休みたくなるでしょ**？　공부만 하고 있으면 가끔 쉬고 싶어지죠？

3 いくらなんでもそんなに＿＿＿＿＿＿＿＿＿＿。　아무리 그래도 그렇게 놀랄 건 없잖아요？

4 ベストセラーの本だったら、＿＿＿＿＿＿＿＿＿＿？　베스트셀러 책이었다면 재미있겠죠？

5 これ、この間買った服なんだけど、なかなか＿＿＿＿＿＿＿＿＿＿？
이거 얼마 전 산 옷인데 제법 예쁘죠？

정답　❶ 3 どうしてもう　4 どうして君は笑ったんだ　5 どうしてそっちを
　　　❷ 3 驚くことはないでしょ　4 面白いでしょ　5 可愛いでしょ

문제를 풀며 오늘 배운 표현을 완벽히 내 것으로 만드세요.

A | 애니메이션 속 대화를 완성해 보세요.

れさすけ　(ぱくぱく……。) (뻐끔, 뻐끔…….)

烈子　[えっ、❶＿＿＿＿＿＿＿＿＿？] [앗, 지금 뭔가 말한 건가?]

れさすけ　(ぱくぱくぱくぱく。) (뻐끔, 뻐끔, 뻐끔, 뻐끔.)

一同　アハハハハハハハ！ 아하하하하하하!

烈子　[声ちっさ……。] [목소리가 너무 작아…….]

烈子　え？　すみません、❷＿＿＿＿＿＿＿＿＿。 네? 죄송해요. 조금 시끄러워서.

烈子　えっ？ 응?

れさすけ　……。 …….

れさすけ　(電車の件ですが、ボーっとしてたら❸＿＿＿＿＿＿＿遅刻しました。) (그때 전철 일은 말이죠, 멍하게 있다가 내릴 역을 놓쳐 지각했어요.)

烈子　(ひとつ、❹＿＿＿＿＿＿＿？) (뭐 하나 여쭤봐도 돼요?)

れさすけ　(どうぞ。) (그럼요.)

烈子　(どうして缶コーヒー飲んでるんですか？) (왜 캔 커피를 드세요?)

れさすけ　(お酒、❺＿＿＿＿＿＿＿。) (술을 잘 못 마셔요.)

정답 A

❶ 今何か言った

❷ ちょっとうるさくて

❸ 乗り過ごして

❹ お聞きしていいですか

❺ 苦手なんです

B | 다음 빈칸을 채워 문장을 완성해 보세요.

1 왜 그렇게 심한 말을 하는 거야?

＿＿＿＿＿＿＿＿＿ ひどいことを言うの？

2 어제 왜 결석했나요?

昨日 ＿＿＿＿＿＿＿＿＿ したんですか？

3 여기까지 뛰어오느라 힘들었죠?

ここまで走ってきて、＿＿＿＿＿＿＿＿＿。

4 공부만 하고 있으면 가끔 쉬고 싶어지죠?

勉強ばっかりしていると、時々 ＿＿＿＿＿＿＿＿＿？

5 아무리 그래도 그렇게 놀랄 건 없잖아요?

いくらなんでもそんなに ＿＿＿＿＿＿＿＿＿。

정답 B

1 どうしてそんな

2 どうして欠席

3 疲れたでしょ

4 休みたくなるでしょ

5 驚くことはないでしょ

恋はバラ色

사랑은 장밋빛

지난 밤, 미팅에서 술을 너무 많이 마시는 바람에 어떻게 집에 들어왔는지조차 기억하지 못하는 레츠코. 그래도 레사스케가 손수건을 건네준 기억이 어렴풋이 가물거립니다. 문득문득 레사스케 생각이 나는 와중에 쓰보네의 심부름으로 영업부에 가게 됩니다. 레츠코는 레사스케가 열심히 마시던 커피가 생각나 괜히 캔 커피를 사봅니다. 한편, 하이다는 평소와 다른 레츠코의 행동에 의아함만 느낄 뿐입니다.

워밍업! **오늘 배울 표현** 오늘 등장하는 표현들입니다. 어떤 표현이 들어가야 할지 생각해 보세요.

* 自腹王子に   もらったことも？   자비 왕자가 너 보살펴 준 것도?

* これ、営業部の島田さんに届けて来   。
이거 영업부 시마다 씨한테 갖다줬으면 하는데.

* 彼に「出すものは早めに出せ」って   。
그 사람한테 '내야 할 건 빨리 내라'고 단단히 일러둬.

*   飲んでみたくなっちゃって。   그냥 마셔보고 싶어져서.

フェネ子
페네코
こないだどうやって帰ったか覚えてる？
어제 집에 어떻게 들어갔는지 기억하고 있어?

烈子
레츠코
気付いたら家で寝てた。何にも覚えてない。
정신 차려보니 집에서 자고 있었어. 아무것도 기억 안 나.

フェネ子
페네코
自腹王子に介抱してもらったことも？ ❶
자비 왕자가 너 보살펴 준 것도?

烈子
레츠코
……。覚えてない。
……. 기억 안 나.

坪根
쓰보네
ちょっと、烈子さん！
잠시만, 레츠코 씨!

烈子
레츠코
あっ、はい！
아, 네!

坪根
쓰보네
これ、営業部の島田さんに届けて来てちょうだい。 ❷
이거 영업부 시마다 씨한테 갖다줬으면 하는데.

烈子
레츠코
はい、分かりました。
네, 알겠습니다.

坪根
쓰보네
それと、れさすけ君て分かる？　**彼に「出すものは早めに出せ」って釘刺しといて。** ❸ 不在ならメモでいいから。
그리고 레사스케 씨 알아? 그 사람한테 '내야 할 건 빨리 내라'고 단단히 일러둬. 자리에 없으면 메모라도 남기고.

ハイ田
하이다
おう、烈子。
안녕, 레츠코.

烈子
레츠코
あっ、ハイ田君、おはよう。
아, 하이다구나, 좋은 아침.

ハイ田
하이다
あれ？　お前、缶コーヒーなんて飲むやつだったっけ？
어? 너, 캔 커피 같은 거 마셨던가?

烈子
레츠코
あっ、これ？　アハハ……**何となく飲んでみたくなっちゃって。** ❹
아, 이거? 아하하……. 그냥 마셔보고 싶어져서.

ハイ田
하이다
フーン。
흠음.

烈子
레츠코
あっ、ごめん。坪根さんに急かされてるから行くね。
아, 미안. 쓰보네 씨가 서두르라고 해서 이만 가볼게.

❶ 自腹王子に介抱してもらったことも？　자비 왕자가 너 보살펴 준 것도?

介抱에는 '병구완, 간호'라는 뜻이 있는데, 介護와 看護 등 의미가 비슷하면서도 미묘하게 다른 단어들이 있습니다. 介抱는 부상자 등을 돌보는 일, 일시적인 돌봄이나 치료를 의미합니다. 갑자기 쓰러졌거나 이 장면처럼 술에 심하게 취한 사람을 돌보는 상황에서 쓰는 단어랍니다. 반면에 介護는 일상생활이 어려울 정도의 중증 환자, 혹은 몸이 불편한 장애인 등을 장기간 돌볼 때 쓰고, 看護는 치료를 목적으로 하며 환자를 돌보기 위한 전문 자격이 필요하다는 점에서 介抱와 차이가 있어요.

＊ A：飛行機の中で急に倒れたって聞いたけど、大丈夫ですか？
　　　비행기 안에서 갑자기 쓰러졌다고 들었는데 괜찮아요?
　　B：ええ、ちょうど隣の席にいたお医者さんが介抱してくれたんです。
　　　네, 마침 옆자리에 있던 의사가 절 간호해 주었어요.

❷ これ、営業部の島田さんに届けて来てちょうだい。　이거 영업부 시마다 씨한테 갖다줬으면 하는데.

～てちょうだい는 '～해줘'라는 뜻으로, 요구와 의뢰의 표현입니다. ～てください에 비해 친한 사람이나 아랫사람에게 하는 말입니다. 남자는 ～てくれ라고 말하기도 해요. ～てちょうだい를 ～てくれる？라는 말로 바꾸어 쓸 수도 있는데, 반말이기는 하지만 상대방을 배려하는 표현이랍니다. 그래서 친한 사람이나 아랫사람에게 부탁할 때는 ～てくれる？가 가장 일반적이라고 할 수 있어요.

＊ 会社帰りにスーパーに寄って、卵1パック買って来てちょうだいね。
　　회사 퇴근길에 슈퍼에 들러 달걀 한 팩 좀 사다 줘.
＊ いま出る準備してるから、ちょっと待ってちょうだい。　지금 나갈 준비를 하고 있으니까 잠깐만 기다려줘.

❸ 彼に「出すものは早めに出せ」って釘刺しといて。　그 사람한테 '내야 할 건 빨리 내라'고 단단히 일러둬.

釘刺しといて는 釘刺しておいて가 구어체적으로 줄어든 말입니다. 기본형은 ～ておく이며, 일상생활에서는 ～とく라고 줄여서 발음하지요. 여기서는 기본이 되는 ～ておく를 중심으로 설명하고자 합니다. ～ておく는 '어떤 목적을 위해 ～을 해두다, ～인 채로 놔두다'라는 뜻으로 준비, 방치, 처치 등의 의도를 드러낼 때 쓰는 말입니다. 행위나 동작을 자기 의지로 제어할 수 있는 뜻을 가진 의지 동사와 함께 사용하지요.

★ 배니 속 패턴 익히기 1

❹ 何となく飲んでみたくなっちゃって。　그냥 마셔보고 싶어져서.

何となく는 '(명확한 이유나 별생각 없이) 그냥'이라는 뜻으로, 행위나 동작을 스스로 제어할 수 있다는 의미를 가진 의지동사와 함께 쓰입니다. 동작이나 행위를 제어할 수 없다는 뜻의 무의지 동사(예를 들어 怖くなる(겁나다))나 형용사와도 함께 쓰일 수 있는데, 그럴 때는 '(이유는 알 수 없지만 막연하게) ～인 것 같은 느낌이 들다'라는 의미가 됩니다. 예를 들어, なんとなく嫌な予感がする(어쩐지 안 좋은 예감이 든다)처럼 말이지요.

★ 배니 속 패턴 익히기 2

오늘 배운 장면에서 뽑은 핵심 패턴으로 다양한 표현을 만들어보세요.

🎧 25-2.mp3

❶ 동사 + ておく

(어떤 목적을 위해) ~을 해두다, ~인 채로 놔두다

1 これ、試験に出るくらい重要なことだから、ノートに**写しておいた**ほうがいいよ。
이거 시험에 나올 정도로 중요하니까 노트에 옮겨 적어두는 게 좋아.

2 あなたが帰ってくるまでに、クリスマスツリーを**飾っておきます**。
당신이 돌아올 때까지 크리스마스트리를 장식해 두겠습니다.

3 蚊が入ってくるかもしれないから、窓を ________________ 。
모기가 들어올지도 모르니까 창문을 닫아둘게.

4 鍵を ________________ から、誰も部屋に入ってこれないはずだ。
문을 잠가뒀으니 아무도 방에 들어오지 못할 것이다.

5 13時に会議があるから、資料を ________________ 。 13시에 회의가 있으니까 자료를 준비해 두겠습니다.

❷ 何となく

(명확한 이유나 목적 없이) 어쩐지, 그냥

1 最近疲れることが多いせいか、**何となく旅に出て**みたくなった。
요즘 피곤한 일이 많아서 그런지 그냥 여행을 떠나고 싶어졌다.

2 **なんとなくお腹がすいたので**、冷蔵庫を漁ってみた。 그냥 좀 배가 고파서 냉장고를 뒤져보았다.

3 麺類の食レポを見ていたら、________________ きた。
면류에 관한 맛집 리뷰를 보고 있자니 어쩐지 라면이 먹고 싶어졌다.

4 お祭りをやっている場所に並んでいる屋台を見ていると、________________ きた。
축제 장소에 늘어서 있는 노점을 보니 어쩐지 이쪽까지 즐거워졌다.

5 彼は ________________ きて、震えながら後ろを振り返った。
그는 어쩐지 무서워져서 몸을 떨면서 뒤를 돌아보았다.

정답　❶ **3** 閉じておくよ　**4** 掛けておいた　**5** 準備しておきます
　　　❷ **3** なんとなくラーメンが食べたくなって　**4** 何となくこちらまで楽しくなって　**5** なんとなく怖くなって

문제를 풀며 오늘 배운 표현을 완벽히 내 것으로 만드세요.

A | 애니메이션 속 대화를 완성해 보세요.

坪根　これ、営業部の島田さんに❶＿＿＿＿＿＿＿　ちょうだい。
이거 영업부 시마다 씨한테 갖다줬으면 하는데.

烈子　はい、分かりました。 네. 알겠습니다.

坪根　それと、れさすけ君て分かる？　彼に「出すものは❷＿＿＿＿
＿＿＿＿＿　釘刺しといて。❸＿＿＿＿＿　メモ
でいいから。
그리고 레사스케 씨 알아? 그 사람한테 '내야 할 건 빨리 내라'고 단단히 일러둬. 자리에 없으면
메모라도 남기고.

ハイ田　おう、烈子。 안녕, 레츠코.

烈子　あっ、ハイ田君、おはよう。 아, 하이다구나, 좋은 아침.

ハイ田　あれ？　お前、缶コーヒーなんて飲むやつだったっけ？
어? 너, 캔 커피 같은 거 마셨던가?

烈子　あっ、これ？　アハハ……何となく❹＿＿＿＿＿＿　。
아, 이거? 아하하……, 그냥 마셔보고 싶어져서.

ハイ田　フーン。 흐음.

烈子　あっ、ごめん。坪根さんに❺＿＿＿＿＿　から行くね。
아, 미안. 쓰보네 씨가 서두르라고 해서 이만 가볼게.

B | 다음 빈칸을 채워 문장을 완성해 보세요.

1　이거 시험에 나올 정도로 중요하니까 노트에 옮겨 적어두는 게 좋아.

これ、試験に出るくらい重要なことだから、ノートに＿＿＿＿＿
＿＿＿＿＿　ほうがいいよ。

2　당신이 돌아올 때까지 크리스마스트리를 장식해 두겠습니다.

あなたが帰ってくるまでに、クリスマスツリーを＿＿＿＿＿
＿＿＿＿＿　。

3　문을 잠가뒀으니 아무도 방에 들어오지 못할 것이다.

鍵を＿＿＿＿＿　から、誰も部屋に入ってこれないはずだ。

4　요즘 피곤한 일이 많아서 그런지 그냥 여행을 떠나고 싶어졌다.

最近疲れることが多いせいか、＿＿＿＿＿　みたくなった。

5　그냥 좀 배가 고파서 냉장고를 뒤져보았다.

＿＿＿＿＿、冷蔵庫を漁ってみた。

デートに誘われた日

데이트 신청을 받은 날

레사스케에게 관심이 생긴 레츠코는 별것도 아닌 일을 구실 삼아 틈만 나면 영업부로 찾아갑니다. 짧은 메모를 붙인 캔 커피도 함께 가지고서 말이지요. 책상 위에 쌓여가는 메모를 본 마누마루는 레사스케에게 의외로 너도 제법이라며 어서 데이트 신청을 하라고 조언합니다. 하지만 항상 멍하기만 한 레사스케는 마누마루가 왜 그런 말을 하는지 도무지 이해를 못 하네요.

 **워밍업! 오늘 배울 표현**　　오늘 등장하는 표현들입니다. 어떤 표현이 들어가야 할지 생각해 보세요.

* とても 　　　　　　　　　　　　　みたいだね。　열심히 일하는 사람인가 봐.

* 俺はこれでもお前を超　　　　　　　　　　。　내가 이래 봬도 널 얼마나 걱정해 주고 있는데.

* お前に　　　　　　　　　　　いねえからだよ！　너한테 애인이 없으니까 그렇지!

* 論理的に　　　　　　　　　　　段階を踏んで説明してやる。

　論理的に 알기 쉽게 단계별로 설명해 줄 테니까.

マヌ丸
마누마루
「烈子」って、こないだ合コンに来てた子だろ？
'레츠코'라면 저번에 미팅에 나왔던 그 사람이잖아?

れさすけ
레사스케
うん、**とても仕事熱心な人みたいだね。**❶
맞아. 열심히 일하는 사람인가 봐.

マヌ丸
마누마루
はあ？ 違えよ、バカ！ 何言ってんだ！ どう見てもお前の気を引きたくてわざわざ用事作って来てんだろ！ 文面が醸し出す雰囲気で分かれよ！
뭐? 그게 아니잖아, 바보야! 무슨 소리를 하는 거야! 어떻게 봐도 네 관심을 끌고 싶어서 굳이 볼일 만들어서 오는 거잖아! 메모 내용으로 분위기 좀 파악해라!

マヌ丸
마누마루
今度デート誘ってやれ。
다음에 데이트 신청해.

れさすけ
레사스케
誰を？
누구한테?

マヌ丸
마누마루
烈子ちゃんをだよ！
레츠코 씨 말이야!

れさすけ
레사스케
何で？
어째서?

マヌ丸
마누마루
「何で」じゃねえ！ 俺が本当にお前をお飾りで合コンに連れ出したと思ってんのか？ **俺はこれでもお前を超心配してやってんだぞ。**❷
뭐가 '어째서'야! 내가 정말 머릿수만 채우려고 널 미팅에 데려간 거 같냐? 내가 이래 봬도 널 얼마나 걱정해 주고 있는데.

れさすけ
레사스케
何で？
어째서?

マヌ丸
마누마루
うああ……。**お前に彼女いねえからだよ！**❸
으으……. 너한테 애인이 없으니까 그렇지!

れさすけ
레사스케
でも……。
하지만…….

マヌ丸
마누마루
「でも」じゃねえ！
뭐가 '하지만'이냐!

マヌ丸
마누마루
いいか？ 今からお前に彼女を作るべき理由を**論理的に分かりやすく段階を踏んで説明してやる。**❹ まずひとつ……。
알겠어? 이제부터 네가 애인을 사귀어야 하는 이유를 논리적이고 알기 쉽게 단계별로 설명해 줄 테니까. 먼저 첫 번째…….

❶ とても仕事熱心な人みたいだね。 열심히 일하는 사람인가 봐.

熱心은 '열심'이라는 한자 독음에서 바로 이해되듯 '한 가지 일에 집중하여 파고드는 모습, 어떤 일을 하는 한결같은 성격'이라는 뜻으로 사용됩니다. 이 단어는 주로 熱心な, 熱心に 같은 형태로 쓰입니다. 비슷한 의미의 一生懸命는 나 자신(1인칭)이 어떤 일에 집중하고 애를 쓰는 마음의 상태를 의미합니다. 또한 그 마음의 상태가 제삼자가 봐도 알 수 있을 정도라면 2인칭이나 3인칭에 대해서도 사용할 수 있지요. 반면에 熱心은 (1인칭이 아닌) 상대방이나 다른 사람이 적극적으로 열심히 하는 행동을 묘사할 때만 사용합니다.

* 学生たちは**熱心**に教授に質問をした。 학생들은 열심히 교수에게 질문했다.
* みんなは彼女の**熱心**な仕事ぶりを認めざるをえなかった。
  모두는 그녀의 열성적인 업무 태도를 인정하지 않을 수가 없었다.

❷ 俺はこれでもお前を超心配してやってんだぞ。 내가 이래 봬도 널 얼마나 걱정해 주고 있는데.

〜てやる는 '〜해주다'의 뜻으로 동식물을 대상으로 할 때 자연스럽게 쓰이고, 아랫사람이나 친구 등에 대해 쓸 때는 살짝 거칠게 들리는 뉘앙스가 있어 한정된 상황에서만 쓰입니다. 비슷한 의미로 〜てあげる가 있는데, 이는 동식물까지 포함해서 누구에게나 어떤 행위를 해줄 때 사용하는 아주 일반적인 표현이랍니다. 윗사람에게 어떤 행동을 해드릴 때는 荷物をお預かりします(짐을 맡아드리겠습니다)처럼 お〜する를 씁니다.

★ 애니 속 패턴 익히기 1

❸ お前に彼女いねえからだよ！ 너한테 애인이 없으니까 그렇지!

흔히 '그녀', '그'라는 3인칭 대명사로 사용할 때 彼女나 彼를 씁니다. 그리고 이성적으로 교제하는 대상도 彼女(여자 친구), 彼氏(남자 친구)를 쓰지요. 그럼 일명 '여사친(여자 사람 친구), 남사친(남자 사람 친구)'은 뭐라고 할까요? 그럴 때는 女友達나 男友達라고 한답니다.

* A : 昨日ショッピングモールで先輩が**彼女**といるのを見ましたよ。
  어제 쇼핑몰에서 선배가 여자 친구와 있는 거 봤습니다.
  B : 彼女じゃないってば！ 手も繋いだことないただの女友達だって。
  여자 친구 아니라니깨! 손도 안 잡아본 그냥 여사친이야.

❹ 論理的に分かりやすく段階を踏んで説明してやる。 논리적이고 알기 쉽게 단계별로 설명해 줄 테니까.

이 장면에서 나온 やすく는 형용사 やすい의 い가 く로 바뀐 부사입니다. 여기서는 기본형인 〜やすい(〜하기 쉽다)에 대해 살펴보도록 합시다. 〜やすい는 어떤 동사와 결합하느냐에 따라 그 의미가 조금씩 달라집니다. 행동의 의지를 드러내는 의지 동사와 결합하면 '〜하기가 쉽다, 간단히 〜을 할 수 있다'라는 뜻이 됩니다. 반대로 무의지 동사와 붙으면 '〜하는 상태가 되기 쉽다'라는 뜻이 됩니다. 錆が付きやすい(녹이 슬기 쉽다)처럼 말이지요.

★ 애니 속 패턴 익히기 2

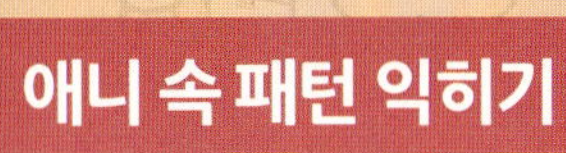

오늘 배운 장면에서 뽑은 핵심 패턴으로 다양한 표현을 만들어보세요.

🎧 26-2.mp3

❶ 동사 + てやる　　　　　　　　　　　　　　　　〜해주다

1 私は野球の試合に出る彼氏に弁当を**作ってやった**。
나는 야구 시합에 나가는 남자 친구에게 도시락을 만들어주었다.

2 幼い息子の口元についていたケチャップを**拭き取ってやった**。
어린 아들의 입가에 묻은 케첩을 닦아주었다.

3 せっかく＿＿＿＿＿＿＿＿＿＿＿＿、あの男は私を罵るだけでした。
애써 구해줬는데 그 남자는 나한테 욕만 퍼부었습니다.

4 そんなに部屋の掃除がしたくないなら、代わりに＿＿＿＿＿＿＿＿＿＿よ。大事なものがなくなっても文句言うなよな。
그렇게 방 청소를 하기 싫으면 대신 정리해 줄게. 중요한 물건을 잃어버려도 뭐라 말하지 마.

5 ＿＿＿＿＿＿＿＿＿＿＿＿、あそこにいるアメリカ人と話をしてみな。
통역해 줄 테니까 저쪽에 있는 미국인과 대화해 봐.

❷ 의지 동사 + やすい　　　　　　　　　　　　　〜하기가 쉽다
　　무의지 동사 + やすい　　　　　　　　　　〜하는 상태가 되기 쉽다

1 山に登る時は**歩きやすい**靴を履く必要があります。
산을 오를 때는 걷기 쉬운 신발을 신을 필요가 있습니다.

2 **働きやすい**仕事を探しているのですが、なかなか見つかりません。
일하기 쉬운 일자리를 찾고 있는데, 좀처럼 찾을 수가 없습니다.

3 子供たちが＿＿＿＿＿＿＿＿＿＿ように、大きな字で書いてあげた。
어린이들이 보기 쉽게 큰 글자로 써주었다.

4 段ボールの中にあるのは＿＿＿＿＿＿＿＿＿＿ものなので、運ぶ時は注意してください。
박스 속에 있는 것은 깨지기 쉬운 물건이니 옮길 때는 주의해 주세요.

5 年を取ると、カロリーの消費量が減って体が＿＿＿＿＿＿＿＿＿＿なります。
나이를 먹으면 칼로리 소비량이 줄어서 몸이 살찌기 쉬워집니다.

정답 ❶ 3 助けてやったのに　4 片付けてやる　5 通訳してやるから　❷ 3 見やすい　4 割れやすい　5 太りやすく

135

문제를 풀며 오늘 배운 표현을 완벽히 내 것으로 만드세요.

A | 애니메이션 속 대화를 완성해 보세요.

マヌ丸　はあ？　違えよ、バカ！　何言ってんだ！　どう見てもお前の気を引きたくて ❶ ＿＿＿＿＿＿＿＿ 来てんだろ！　文面が ❷ ＿＿＿＿＿＿＿＿ で分かれよ！

뭐？ 그게 아니잖아, 바보야! 무슨 소리를 하는 거야! 어떻게 봐도 네 관심을 끌고 싶어서 굳이 볼일 만들어서 오는 거잖아! 메모 내용으로 분위기 좀 파악해라!

マヌ丸　今度 ❸ ＿＿＿＿＿＿＿＿ やれ。　다음에 데이트 신청해.

れさすけ　誰を？　누구한테？

マヌ丸　烈子ちゃんをだよ！　레츠코 씨 말이야!

れさすけ　何で？　어째서？

マヌ丸　「何で」じゃねえ！　俺が本当にお前をお飾りで ❹ ＿＿＿＿＿＿＿＿＿＿＿＿ と思ってんのか？　俺はこれでもお前を超心配してやってんだぞ。

뭐가 '어째서'야! 내가 정말 머릿수만 채우려고 널 미팅에 데려간 거 같냐? 내가 이래 봬도 널 얼마나 걱정해 주고 있는데.

れさすけ　何で？　어째서？

マヌ丸　うああ……。 ❺ ＿＿＿＿＿＿＿＿ だよ！

으으……. 너한테 애인이 없으니까 그렇지!

정답 A

❶ わざわざ用事作って

❷ 醸し出す雰囲気

❸ デート誘って

❹ 合コンに連れ出した

❺ お前に彼女いねえから

B | 다음 빈칸을 채워 문장을 완성해 보세요.

1 나는 야구 시합에 나가는 남자 친구에게 도시락을 만들어주었다.

私は野球の試合に出る彼氏に弁当を ＿＿＿＿＿＿＿＿＿。

2 어린 아들의 입가에 묻은 케첩을 닦아주었다.

幼い息子の口元についていたケチャップを ＿＿＿＿＿＿＿＿＿。

3 산을 오를 때는 걷기 쉬운 신발을 신을 필요가 있습니다.

山に登る時は ＿＿＿＿＿＿＿＿ 靴を履く必要があります。

4 일하기 쉬운 일자리를 찾고 있는데, 좀처럼 찾을 수가 없습니다.

＿＿＿＿＿＿＿＿ 仕事を探しているのですが、なかなか見つかりません。

5 나이를 먹으면 칼로리 소비량이 줄어서 몸이 살찌기 쉬워집니다.

年を取ると、カロリーの消費量が減って体が ＿＿＿＿＿＿＿＿ なります。

정답 B

1 作ってやった

2 拭き取ってやった

3 歩きやすい

4 働きやすい

5 太りやすく

初デート

첫 데이트

레사스케와의 테마파크 데이트를 마친 레츠코는 수리미와 릴라에게 어땠는지 결과를 보고합니다. 데이트가 좋았냐는 그녀들의 질문에 레츠코는 아주 기쁜 표정을 지었지만, 수리미와 릴라에게는 레츠코의 상태가 심상치 않아 보입니다. 발은 상처가 나서 반창고가 덕지덕지 붙어 있고, 그렇게 좋아하던 데스메탈 노래도 안 부를 정도였기 때문이지요. 행복하다는 레츠코의 말을 그대로 받아들이기 어려운 분위기입니다.

워밍업! 오늘 배울 표현 오늘 등장하는 표현들입니다. 어떤 표현이 들어가야 할지 생각해 보세요.

* カップルでああいう場所行くと　　　　　　　　　　　　　じゃない。

커플끼리 그런 데 가면 다툰다고 하잖아.

* 　　　　　　　　随分気遣いのない男ね。 그렇다면 엄청 눈치 없는 남자네.

* 　　　　　　　　履いていった私が悪かったんです。 새 신발을 신고 간 제가 잘못했죠.

* 　　　　　　　　ストレス溜まったでしょ？　여러 가지로 스트레스 쌓였지?

烈子 は……は……はくしょん！ エヘヘ……。 もう、すっごく楽しかったです！
레츠코　에…… 에…… 엣취! 에헤헤……. 정말이지, 너무 즐거웠어요!

ゴリ 良かったじゃない！
릴라　다행이다!

鷲美 ムカついたりしなかった？　**カップルでああいう場所行くと喧嘩するって言うじゃない。**❶
수리미　마음 상하는 일은 없었어? 커플끼리 그런 데 가면 다툰다고 하잖아.

烈子 そんなこと全然なかったですよ。 私を楽しませようと、積極的にリードしてくれて、意外と頼れる人だなあって。 痛っ、痛たたた……。
레츠코　그런 거 전혀 없었어요. 저를 즐겁게 해주려고 적극적으로 이끌어줬어요. 의외로 듬직한 사람이랄까. 아얏, 아파라…….

鷲美 ちょっと、どうしたのよ？　その足。
수리미　잠깐만, 그 발 어떻게 된 거야?

ゴリ 大分、引っ張り回されたのね。
릴라　사방팔방 끌려다녔나 보네.

鷲美 デートの相手って、男子中学生？
수리미　데이트 상대가 중학교 남학생이야?

烈子 違いますよ〜。
레츠코　그런 거 아니에요.

鷲美 **だとしたら随分気遣いのない男ね。**❷ 私だったら、途中で帰るわよ。
수리미　그렇다면 엄청 눈치 없는 남자네. 나였으면 도중에 집에 갔어.

烈子 そんな……。 **新しい靴なんか履いていった私が悪かったんです。**❸
레츠코　그럴 리가요……. 새 신발을 신고 간 제가 잘못했죠.

鷲美 いつものやつ歌ったら？　**何だかんだでストレス溜まったでしょ？**❹
수리미　항상 부르던 곡 어때? 여러 가지로 스트레스 쌓였지?

ゴリ そうよ！　歌ってスッキリしちゃいなさい。
릴라　그래! 노래로 속 시원하게 다 풀어버려.

烈子 不満なんて全然ないですから。
레츠코　불만 같은 거 전혀 없는걸요.

烈子 私、今、とっても、幸せです！
레츠코　저 지금 정말로 행복해요!

❶ カップルでああいう場所行くと喧嘩するって言うじゃない。
커플끼리 그런 데 가면 다툰다고 하잖아.

〜って言うは 기본형 〜と言うの 구어체로 '〜라고 한다'라는 뜻입니다. 〜って言うじゃないですか(〜라고 하잖아요) 또는 〜って言いますからね(〜라고 하니까요) 등 흔히 듣는 속담이나 세간에서 말하는 내용을 언급하는 의미로 사용합니다. 그 외에 [고유명사+という+일반명사]의 형태로 金閣寺という寺(긴카쿠지라는 절)처럼 쓰거나 [이야기의 내용+という+話/件/噂/物語 등]의 형태로 犬が燃えている家の中から赤ちゃんを救ったという話(개가 불타는 집 안에서 아기를 구했다는 이야기)처럼 쓸 때가 있어요.

★ 매니 속 패턴 익히기 1

❷ だとしたら随分気遣いのない男ね。 그렇다면 엄청 눈치 없는 남자네.

だとしたらは '만약에 그렇다면, 만약 ~라고 한다면'이라는 가정 표현입니다. 어떤 일에 대해 단정하거나 어조를 강조할 때 사용하죠. 〜である(~이다)의 음변화한 조동사 だ와 としたら(~라면)가 합쳐진 말이기에, 의미 조합만 봐도 だとしたら가 앞에 나온 내용을 순접(順接)의 관계로 이어받는다는 걸 알 수 있습니다. 이 장면에서처럼 だとしたら가 문장 맨 앞에 나오면, 바로 앞에서 한 말을 순접으로 받아서 어떠한 결과가 나올 것이라는 가정의 뜻을 드러내기도 합니다.

★ 매니 속 패턴 익히기 2

❸ 新しい靴なんか履いていった私が悪かったんです。 새 신발을 신고 간 제가 잘못했죠.

레츠코가 높은 펌프스(パンプス)를 신고 데이트에 나갔지만, 대사에서는 靴라고 나옵니다. 왜냐하면 靴는 아주 일반적이고 넓은 뜻에서 신발을 지칭하기 때문이지요. 비슷한 의미의 シューズ는 バスケットシューズ(농구화)나 レーンシューズ(레인 슈즈)처럼 다른 단어와 결합해서 사용될 때가 많답니다. 또한 '신발을 신다'는 동사 履く를 사용하며 靴に足が収まる(신발에 발이 쏙 들어가다), サンダルをつっかける(샌들을 걸쳐 신다), パンプスに足を入れる(펌프스에 발을 집어넣는다)와 같은 재미있는 표현도 많답니다.

* A：昨日デパートで買った靴を履いてみたんだけど、靴擦れして足が痛くなっちゃった。
어제 백화점에서 산 구두를 신어보니 신발에 쓸려서 발이 아파졌지 뭐야.

B：だったら、早くその靴売り場に行って交換してもらった方がいいよ。
그렇다면 빨리 그 신발 매장에 가서 교환해 달라고 하는 게 좋겠네.

❹ 何だかんだでストレス溜まったでしょ？ 여러 가지로 스트레스 쌓였지?

何だかんだは '이것저것, 여러 가지로, 이러니저러니'라는 뜻입니다. 비슷한 표현으로 あれやこれや(이것저것)나 ああだこうだ(이러니저러니) 등이 있지요. 何だかんだは 주로 何だかんだ言っても(뭐니 뭐니 해도)라는 표현으로 자주 사용합니다.

* 何だかんだで忙しくて、締め切りに間に合わせられないかもしれない。
이것저것 바빠서 마감을 못 맞출지도 모른다.

* 普段から隣のおばあさんには何だかんだお世話になっている。
평소부터 이웃집 할머니께 여러 가지로 신세를 졌다.

오늘 배운 장면에서 뽑은 핵심 패턴으로 다양한 표현을 만들어보세요.

🎧 27-2.mp3

❶ 동사·형용사·명사 + って言う　　～라고 한다

1 この新型のスマホは液晶画面を**折りたためるって言う**よ。　이 신형 스마트폰은 액정 화면을 접을 수 있대.

2 一部のオウムは人の言葉をよく**真似できるっていう**よ。
일부 앵무새는 사람의 말을 잘 따라 할 수 있다고 한다.

3 近所で住民が ＿＿＿＿＿＿＿＿＿＿＿＿ 事故があったらしい。
근처에서 주민이 차에 치였다는 사고가 일어난 것 같다.

4 みんな築40年の住宅だから ＿＿＿＿＿＿＿＿＿＿ けど、私はこの家が気に入ってるんだ。
모두들 지은 지 40년 된 주택이라서 오래됐다고 하지만, 나는 이 집이 마음에 들어.

5 友達と ＿＿＿＿＿＿＿＿＿＿ 喫茶店で会う約束をした。　친구와 '마코토'라는 찻집에서 만날 약속을 했다.

❷ だとしたら　　만약에 그렇다면
동사·형용사 + としたら, 명사 + だとしたら　　만약 ～라고 한다면

1 彼は総選挙で得票数一位だったという。**だとしたら**、彼の当選はほぼ確定だ。
그는 총선거에서 득표수가 1위였다고 한다. 그렇다면 그의 당선은 거의 확정이다.

2 天気予報では大雨のおそれがあると言う。**だとしたら**、明日のピクニックは中止になりそうだ。　일기예보에서 큰비가 내릴 우려가 있다고 한다. 그렇다면 내일 소풍은 중지될 것이다.

3 あの噂が ＿＿＿＿＿＿＿＿＿＿ 、何とかしないといけない。
그 소문이 사실이라고 한다면, 뭔가 해야만 한다.

4 もしあなたが宝くじに ＿＿＿＿＿＿＿＿＿＿ 、どうしますか？
만약 당신이 복권에 당첨된다면 어떻게 하겠습니까?

5 荷物を積んだトラックがそんなに ＿＿＿＿＿＿＿＿＿＿ 、この橋は渡れないかもしれない。　짐을 실은 트럭이 그렇게 무겁다면 이 다리는 건널 수 없을지도 모른다.

정답 ❶ 3 車に引かれたっていう　4 古いって言う　5「マコト」っていう
❷ 3 本当だとしたら　4 当たったとしたら　5 重いとしたら

문제를 풀며 오늘 배운 표현을 완벽히 내 것으로 만드세요.

A | 애니메이션 속 대화를 완성해 보세요.

烈子 そんなこと全然なかったですよ。私を楽しませようと、積極的にリードしてくれて、意外と ❶ __________________ だなあって。痛っ、痛たたた……。

그런 거 전혀 없었어요. 저를 즐겁게 해주려고 적극적으로 이끌어줬어요. 의외로 듬직한 사람이랄까. 아얏, 아파라…….

鷲美 ちょっと、どうしたのよ？ その足。 잠깐만, 그 발 어떻게 된 거야?

ゴリ 大分、❷ __________________ のね。 사방팔방 끌려다녔나 보네.

鷲美 デートの相手って、男子中学生？ 데이트 상대가 중학교 남학생이야?

烈子 違いますよ～。 그런 거 아니에요.

鷲美 だとしたら随分 ❸ __________________ 男ね。私だったら、途中で帰るわよ。 그렇다면 엄청 눈치 없는 남자네. 나였으면 도중에 집에 갔어.

烈子 そんな……。新しい靴なんか ❹ __________________ 私が悪かったんです。 그럴 리가요……. 새 신발을 신고 간 제가 잘못했죠.

鷲美 いつものやつ歌ったら？ 何だかんだで ❺ __________________ でしょ？ 항상 부르던 곡 어때? 여러 가지로 스트레스 쌓였지?

B | 다음 빈칸을 채워 문장을 완성해 보세요.

1 이 신형 스마트폰은 액정 화면을 접을 수 있대.

この新型のスマホは液晶画面を __________________ よ。

2 일부 앵무새는 사람의 말을 잘 따라 할 수 있다고 한다.

一部のオウムは人の言葉をよく __________________ よ。

3 그는 총선거에서 득표수가 1위였다고 한다. 그렇다면 그의 당선은 거의 확정이다.

彼は総選挙で得票数一位だったという。__________________、彼の当選はほぼ確定だ。

4 일기예보에서 큰비가 내릴 우려가 있다고 한다. 그렇다면 내일 소풍은 중지될 것이다.

天気予報では大雨のおそれがあると言う。__________________、明日のピクニックは中止になりそうだ。

5 만약 당신이 복권에 당첨된다면 어떻게 하겠습니까?

もしあなたが宝くじに __________________、どうしますか？

その「恋」は演技では？

그 '사랑'은 연기가 아닐까?

멋진 몸매를 만들겠다고 요가 학원을 다니는 레츠코가 드디어 몸무게 감량 효과를 보았습니다. 살이 빠졌다고 굉장히 기뻐하는 레츠코. 하지만 수리미와 릴라는 행복한 연애와 여자 친구 노릇으로 생긴 정신적 스트레스로 인해 초췌해진 것이라고 딱 잘라 지적합니다. 진정한 사랑에 빠진 여자의 모습이 아니라는 릴라와, 연애할 때는 연기를 해도 된다는 수리미의 의견이 충돌합니다.

워밍업! 오늘 배울 표현　　오늘 등장하는 표현들입니다. 어떤 표현이 들어가야 할지 생각해 보세요.

* ヨガの 　　　　　　　　　　　ってことですかね。　요가를 한 효과가 나오기 시작하나 봐요.

* それ 　　　　　　　　　んじゃなくて……。　그거 살이 빠진 게 아니라…….

* 職場で真面目な会社員を 　　　　　　　　　　と変わらない。
직장에서 성실한 회사원을 연기할 때와 똑같은 거야.

* 　　　　　　　　　だけの度量が烈子と彼氏さんにあるならって話よ。
끝까지 잘 연기해 낼 자신이 레츠코와 남자 친구한테 있어야 하겠지만.

烈子
레츠코

ああ〜っ！

와아!

烈子
레츠코

見てください、これ！ ３キロも落ちてる。どうしちゃったんだろう？ **ヨガの成果が出始めたってことですかね。❶**

이것 보세요! 3kg나 빠졌어요. 어떻게 된 걸까요? 요가를 한 효과가 나오기 시작하나 봐요.

ゴリ
릴라

それ痩せたんじゃなくて……。❷

그거 살이 빠진 게 아니라…….

鷲美
수리미

やつれちゃったんじゃないの？

여윈 거 아니야?

ゴリ
릴라

思ったことを言うわよ。今の烈子は、幸せな彼女を演じてるだけ。**職場で真面目な会社員を演じてたときと変わらない。❸** そんなの、本当の烈子じゃない。

내 생각은 이래. 지금 넌 행복한 여자 친구를 연기하고 있을 뿐이야. 직장에서 성실한 회사원을 연기할 때와 똑같은 거야. 그건 진짜 레츠코가 아니야.

烈子
레츠코

そんなことないですよ。

그렇지 않아요.

鷲美
수리미

私は別に演じたっていいと思うけど。

나는 그런 척 연기하는 것도 좋다고 보는데.

ゴリ
릴라

ちょっと鷲美！

잠깐, 수리미!

鷲美
수리미

恋愛なんてしたたかに演じたらいいのよ。それでお互い気分良くなれるんだもの。ただし、**演じた自分を乗りこなすだけの度量が烈子と彼氏さんにあるならって話よ。❹** ないでしょ？

연애할 땐 연기해도 돼. 그렇게 해서 서로 기분 좋아질 수 있으니까. 다만, 끝까지 잘 연기해 낼 자신이 레츠코와 남자 친구한테 있어야 하겠지만. 할 수 있겠니?

烈子
레츠코

……。

…….

# 장면 파헤치기

구문 설명과 예문으로 이 장면의 핵심 표현을 완벽히 이해하세요.

❶ ヨガの成果が出始めたってことですかね。 요가를 한 효과가 나오기 시작하나 봐요.

～始める는 '～하기 시작하다'라는 뜻으로, 이 장면처럼 성과 등이 천천히 나타나기 시작하는 상황에서 쓰입니다. 동작이나 사건이 시작되는 국면을 나타내는 일반적인 표현이지요. 의미가 비슷한 ～だす와 구분해 보자면, ～だす는 예기치 않은 일이 갑자기 시작되거나 한꺼번에 무슨 일이 일어났을 때 사용됩니다. 예를 들어 犬が突然走りだした (개가 돌연 달리기 시작했다)처럼 말이지요. 그래서 ～だす는 突然(돌연)이나 急に(갑자기) 같은 단어와 함께 쓰일 때가 많습니다.

★ 매너 속 패턴 익히기 1

❷ それ痩せたんじゃなくて……。 그거 살이 빠진 게 아니라…….

건강과 다이어트가 중시되는 요즘, 몸무게와 관련된 단어를 알면 대화와 문맥 이해가 더욱 깊어집니다. 특히 이 장면처럼 痩せる(살이 빠지다)와 관련된 단어가 많습니다. 痩せる는 외형적으로 봤을 때 몸의 굵기를 표현하는 말입니다. 그 외에도 スリム(슬림), ほっそり(호리호리), 華奢(마르고 약해 보이는 모습), がりがり(깡마른 모습), なよなよ(연약하고 낭창한 모습), 痩せこける(말라빠지다) 등 재미있는 표현이 아주 많답니다.

* A：ダイエットを始めたのに、全然体重が減らなくて困ってるんだ。
  다이어트를 시작했는데 전혀 몸무게가 줄지 않아서 곤란해.
  B：なんで？ 今でも十分痩せてるじゃない。 왜? 지금도 충분히 말랐잖아.

❸ 職場で真面目な会社員を演じてたときと変わらない。 직장에서 성실한 회사원을 연기할 때와 똑같은 거야.

～とき는 '～할 때'라는 뜻으로, ～とき 다음에 나오는 문장 속 행동이나 상태가 언제 시작됐는지 표현할 때 씁니다. 아주 쉽고 자주 들어볼 수 있는 표현이기도 하지만, ～とき의 앞에 나오는 문장과 뒤에 나오는 문장의 시제(현재형, 과거형)에 따라 의미가 미묘하게 달라진다는 점에 유의해야 합니다. 예를 들어 本屋に行ったとき、友達に会った(서점에 갔을 때 친구와 만났다)처럼 ～とき의 앞 문장이 과거형이면, 서점에 간 것이 먼저 일어난 일이고 그다음에 친구를 만났다는 뜻이 됩니다. 반대로 本屋に行くとき、友達に会った(서점에 갈 때 친구를 만났다)처럼 앞 문장이 현재형이면, 친구를 먼저 만나고 나서 서점에 간 것이 됩니다.

* 電車のなかで忘れ物をしたときは、駅の遺失物取扱所に届け出てください。
  전철에서 물건을 잃어버렸을 때는 역 분실물 신고 센터에 신고해 주세요.
* 頭痛が治らないときは薬を飲んだ方がいい。 두통이 낫지 않을 때는 약을 먹는 편이 좋다.

❹ 演じた自分を乗りこなすだけの度量が烈子と彼氏さんにあるならって話よ。
끝까지 잘 연기해 낼 자신이 레츠코와 남자 친구한테 있어야 하겠지만.

～こなす는 '～을 능숙하게 해내다'라는 뜻입니다. 가진 능력이나 기술을 통해 어떤 것을 능숙하게 잘해낼 때 쓰는 말이지요. 着こなす(옷을 잘 소화해 낸다)나 使いこなす(잘 쓸 줄 안다)처럼, ～こなす와 결합하는 동사는 着る(입다), 使う(사용하다), やる(하다), 弾く(연주하다), 歌う(노래하다), 踊る(춤추다), 乗る(타다) 등이 있습니다. 결합하는 동사가 그리 많지 않기 때문에 이들 동사를 잘 익혀두면 일본어 학습에 큰 도움이 된답니다.

★ 매너 속 패턴 익히기 2

오늘 배운 장면에서 뽑은 핵심 패턴으로 다양한 표현을 만들어보세요.

🎧 28-2.mp3

❶ 동사 + 始める
~하기 시작하다

1 先週からバイオリンを**習い始めました**。 지난주부터 바이올린을 배우기 시작했습니다.

2 子供たちが仲良く**遊び始めた**のを見て安心した。 아이들이 사이좋게 놀기 시작한 것을 보니 안심했다.

3 春になって雪が ＿＿＿＿＿＿＿＿＿＿ 。 봄이 되자 눈이 녹기 시작했다.

4 体重が ＿＿＿＿＿＿＿＿＿＿ 原因は、たぶん運動不足だろう。
체중이 불기 시작한 원인은 아마 운동 부족일 것이다.

5 マラソンの ＿＿＿＿＿＿＿＿＿＿ もう一ヵ月が経った。
마라톤 준비를 시작한 지 한 달이 지났다.

❷ 동사 + こなす
~을 능숙하게 해내다

1 彼女は乗馬を始めて間もないのに、荒馬をうまく**乗りこなしている**。
그녀는 승마를 시작한 지도 얼마 되지 않았는데, 날뛰는 말을 잘 타고 있다.

2 あの人は三ヵ国語を流暢に**使いこなす**。
그 사람은 3개 국어를 유창하게 쓸 줄 안다.

3 初めて聞いた曲なのに、彼はそれをピアノで上手に ＿＿＿＿＿＿＿＿＿＿ 。
처음 들은 곡인데 그는 그걸 피아노로 능숙하게 잘 연주해 냈다.

4 有名なモデルだけあって、どんな服でもよく ＿＿＿＿＿＿＿＿＿＿ 。
유명한 모델이라서 그런지 어떤 옷도 잘 소화해 내는군요.

5 どんな歌でも ＿＿＿＿＿＿＿＿＿＿ ような歌手になりたい。
어떤 노래라도 잘 부를 수 있는 가수가 되고 싶다.

정답 ❶ 3 解け始めた 4 増え始めた 5 準備をしはじめてから ❷ 3 弾きこなした 4 着こなしますね 5 歌いこなせる

문제를 풀며 오늘 배운 표현을 완벽히 내 것으로 만드세요.

A | 애니메이션 속 대화를 완성해 보세요.

ゴリ　それ ❶ ＿＿＿＿＿＿＿＿＿＿＿＿……。 그거 살이 빠진 게 아니라…….

鷲美　❷ ＿＿＿＿＿＿＿＿＿＿ んじゃないの？ 여윈 거 아니야?

ゴリ　思ったことを言うわよ。今の烈子は、幸せな彼女を ❸ ＿＿＿
＿＿＿＿＿＿。職場で真面目な会社員を演じてたときと変わ
らない。そんなの、本当の烈子じゃない。

내 생각은 이래. 지금 넌 행복한 여자 친구를 연기하고 있을 뿐이야. 직장에서 성실한 회사원을 연기할
때와 똑같은 거야. 그건 진짜 레츠코가 아니야.

烈子　そんなことないですよ。 그렇지 않아요.

鷲美　私は別に演じたっていいと思うけど。

나는 그런 척 연기하는 것도 좋다고 보는데.

ゴリ　ちょっと鷲美！ 잠깐, 수리미!

鷲美　恋愛なんて ❹ ＿＿＿＿＿＿＿＿＿ いいのよ。それで ❺ ＿＿＿＿＿
＿＿＿＿＿＿ んだもの。ただし、演じた自分を乗りこなすだ
けの度量が烈子と彼氏さんにあるならって話よ。ないでしょ？

연애할 땐 연기해도 돼. 그렇게 해서 서로 기분 좋아질 수 있으니까. 다만, 끝까지 잘 연기해 낼 자신이
레츠코와 남자 친구한테 있어야 하겠지만. 할 수 있겠니?

B | 다음 빈칸을 채워 문장을 완성해 보세요.

1　지난주부터 바이올린을 배우기 시작했습니다.

先週からバイオリンを ＿＿＿＿＿＿＿＿＿＿＿＿＿。

2　아이들이 사이좋게 놀기 시작한 것을 보니 안심했다.

子供たちが仲良く ＿＿＿＿＿＿＿＿＿＿ のを見て安心した。

3　그녀는 승마를 시작한 지도 얼마 되지 않았는데, 날뛰는 말을 잘 타고 있다.

彼女は乗馬を始めて間もないのに、荒馬をうまく ＿＿＿＿＿＿
＿＿＿＿＿＿＿。

4　그 사람은 3개 국어를 유창하게 쓸 줄 안다.

あの人は三ヵ国語を流暢に ＿＿＿＿＿＿＿＿＿＿＿＿。

5　유명한 모델이라서 그런지 어떤 옷도 잘 소화해 내는군요.

有名なモデルだけあって、どんな服でもよく ＿＿＿＿＿＿＿＿＿＿＿。

ミス連発！仕事から外された烈子

실수 연발! 업무에서 제외된 레츠코

분기 결산을 맞이하여 너무나도 바빠진 경리부. 그러나 하이다는 레츠코의 연애에 충격을 받아 비 맞고 돌아다니다가 폐렴으로 입원, 쓰보네는 손목 골절, 가바에는 스파이 혐의로 구속된 상태여서 무려 세 명이나 결원이 생기고 맙니다. 결국 황돈은 업무 비상사태를 선포합니다. 그야말로 고양이 손이라도 빌려야 하는 급한 상황이지만, 황돈은 레츠코가 쓸모없다며 과감하게 팀에서 내쳐버립니다.

워밍업! 오늘 배울 표현 오늘 등장하는 표현들입니다. 어떤 표현이 들어가야 할지 생각해 보세요.

* ⬜⬜⬜⬜⬜⬜⬜⬜⬜⬜⬜⬜⬜? 어떡해야 할까요?

* 四半期決算の ⬜⬜⬜⬜⬜⬜⬜⬜⬜⬜⬜ この時期、 4분기 결산이 코앞인 이 시기에

* 佃煮禁止令を ⬜⬜⬜⬜⬜⬜⬜⬜⬜⬜ です！ 쓰쿠다니 금지령을 내려야 합니다!

* 私達の ⬜⬜⬜⬜⬜⬜⬜⬜⬜⬜⬜！ 저희 힘으로는 감당이 안 됩니다!

トン (황돈)
くっそー！ ったくこの忙しい時によ！

젠장! 왜 하필 이렇게 바쁠 때!

小宮 (고미야)
ト……トン部長！ い……**いかがいたしましょう？**❶ 明日のゴルフは〜。

화…… 황돈 부장님! 어…… 어떡해야 할까요? 내일 골프는…….

トン (황돈)
バカ野郎！ キャンセルだ！
四半期決算の締めが迫っているこの時期、❷ 我らが経理部に欠員が出た。
一人目はハイ田！ 謎の高熱から肺炎を併発し、現在入院中！

멍청하긴! 취소한다!
4분기 결산이 코앞인 이 시기에 우리 경리부에 결원이 발생했다. 첫 번째로 하이다가 없다! 원인불명의 고열과 폐렴까지
발생해 현재 입원 중이다!

小宮 (고미야)
全く情けない男です！

정말 한심한 남자로군요!

トン (황돈)
二人目は坪根さん！ 自宅で開かずの佃煮と格闘中、手首を粉砕骨折して、戦線離脱！

두 번째는 쓰보네 씨! 집에서 열리지 않는 쓰쿠다니 병을 열려고 애쓰다가 손목뼈가 부러져서 전선에서 이탈하고 말았다!

小宮 (고미야)
佃煮禁止令を出すべきです！❸

쓰쿠다니 금지령을 내려야 합니다!

トン (황돈)
三人目はカバ恵！ スパイ容疑で現在、某国当局が身柄を拘束中！

세 번째는 가바에! 스파이 혐의로 현재 모국의 당국에 구속된 상태다!

小宮 (고미야)
私達の手に負えません！❹
以上、３人の穴を埋めるべく、残された者は一丸となって、事に当たってください！

저희 힘으로는 감당이 안 됩니다!
이상, 세 사람 몫을 채워야 하니 남은 분들은 힘을 모아 일하세요!

トン (황돈)
いいや、欠員は４人だ。

아니, 결원은 네 명이다.

小宮 (고미야)
は？

네?

トン (황돈)
今のお前は使い物にならねえ。邪魔にならんよう、お茶汲みでもしとけ！

지금 너는 쓸모없다. 방해되지 않도록 차나 내와!

烈子 (레츠코)
……。

…….

❶ いかがいたしましょう？ 어떡해야 할까요?

애니메이션 장면에서는 종조사 か가 생략되었지만, 흔히 いかがいたしましょうか라고 사용하여 자신을 낮추고 듣는 사람을 높이는 겸양어(謙讓語)입니다. '어떻게 하시겠습니까?'라는 뜻으로, 겸양어가 아닌 일반적인 표현은 どうしましょうか입니다. いかがいたしましょうか는 자신이 어떻게 하면 좋을지 웃어른에게 지시나 의견을 구하는 경우에 쓰는 표현입니다. 대개 처음에 자신의 의견을 제시하고, 그다음에 상대방에게 いかがいたしましょうか라고 묻는 식으로 사용됩니다.

★ 애니 속 패턴 익히기 1

❷ 四半期決算の締めが迫っているこの時期、 4분기 결산이 코앞인 이 시기에

締めは 수를 합계하여 마감하는 것을 의미하며, 〆라고 쓰기도 합니다. 締め가 들어간 단어로 〆切가 있는데, '작업을 마감하거나 미리 정해진 일에 대한 종료 기한'을 의미하고 한자로는 締切로 씁니다. 締切와 〆切의 차이를 굳이 꼽자면 締切는 상용한자(일본어의 읽고 쓰기에 혼란이 없도록 사회생활에서 한자가 사용될 때 기준으로 제시되는 것)이고, 〆切는 그렇지 않다는 점이지요. 그래서 공문서, 신문, 학교 수업 등에서는 締切가 더 자주 쓰이고 일반적입니다. 또한 봉투를 봉한 곳에 〆를 쓰는 관행이 있는데 メ나 ×로 보이지 않도록 잘 써야 합니다. 특히 외국으로 보내는 서류에 〆를 써 봉인하면 ×로 보일 수도 있어서 실례가 될 수 있습니다.

* 上司から頼まれた資料の作成が〆切に間に合わないかもしれない。

  상사로부터 부탁받은 자료 만들기가 마감 기한에 맞출 수 없을지도 몰라.

* 〆切期限を過ぎているのに、まだ作家から原稿が上がってこなかった。

  마감 기한이 지났는데도 아직 작가로부터 원고가 들어오지 않았다.

❸ 佃煮禁止令を出すべきです！ 쓰쿠다니 금지령을 내려야 합니다!

～べき는 '(당연히) ～해야 한다'라는 뜻으로, 人権は大切にすべきです(인권은 소중히 해야 합니다)처럼 상식적으로 생각했을 때 당연히 어떤 행동을 해야 한다고 말할 때 쓰는 표현이랍니다. 또한 상대방의 행위에 대해 언급할 때는, 권고나 충고의 의미가 있습니다. 学校を休む時は、早めに連絡するべきです(학교를 쉴 때는 일찍 연락을 해야 합니다)처럼 권고하는 것이지요. 앞서 예문에서 본 것처럼 ～べき가 する와 이어질 때는 するべき와 すべき 두 가지 형태가 있고 의미는 모두 '～을 해야 한다'입니다.

★ 애니 속 패턴 익히기 2

❹ 私達の手に負えません！ 저희 힘으로는 감당이 안 됩니다!

手に負えない는 '감당할 수 없다, 어찌할 도리가 없다'라는 뜻으로, 어떤 일을 자기 힘으로 도저히 감당하거나 해낼 수 없을 때 쓰는 말입니다. 그래서 사람은 물론이고, 사물 등에 대해서도 쓸 수 있는 표현이에요. 그런데 이 手に負えない를 手が負えない로 잘못 이해하고 쓰는 실수가 종종 있습니다. 手が負えない는 사전에도 실리지 않은 잘못된 말로, 手が付けられない(손쓸 방도가 없다), 手が掛かる(손이 많이 가다) 등의 일상적 관용구가 많아서 이런 오용이 많은 것이라고 합니다.

* A：先生、祖父の容体はどうですか？ 선생님, 할아버지의 병세는 어떻습니까?
* B：病状がかなり進行していて、すでに私の手には負えない状態です。

  증세가 상당히 진행되어 있어서, 이미 제 손으로는 어찌할 도리가 없는 상황입니다.

 오늘 배운 장면에서 뽑은 핵심 패턴으로 다양한 표현을 만들어보세요.

🎧 29-2.mp3

❶ いかがいたしましょうか 　어떻게 하시겠습니까?

1　ご注文の商品をお宅までお届けできますが、**いかがいたしましょうか**。
주문하신 상품을 댁 앞에 배달해 드릴 수 있는데, 어떻게 하시겠습니까?

2　店長、お客さまからクレームが入ってるんですが、**対応はいかがいたしましょうか**。
점장님, 손님으로부터 클레임이 들어왔는데, 대응을 어떻게 할까요?

3　課長、打ち合わせ資料の ＿＿＿＿＿＿＿＿＿＿＿＿＿＿。　과장님, 회의 자료 준비는 어떻게 할까요?

4　お客様、＿＿＿＿＿＿＿＿＿＿＿＿＿＿。　손님, 짐은 어떻게 해드릴까요?

5　社長、先方への ＿＿＿＿＿＿＿＿＿＿＿＿＿＿。　사장님, 상대편에 보낼 선물은 어떻게 할까요?

❷ 동사 + べき 　〜하는 것이 당연하다, 〜해야 한다

1　嫌なら嫌と、はっきり**言うべきです**。 싫으면 싫다고 확실히 말해야 합니다.

2　彼は、患者に不治の病であることを**知らせるべきか**どうか迷っている。
그는 환자에게 불치병이라는 걸 알려야 할지 망설이고 있다.

3　拾ったお金は、すぐ交番に ＿＿＿＿＿＿＿＿＿＿＿＿＿＿。　주운 돈은 곧바로 파출소에 가져다주어야 한다.

4　＿＿＿＿＿＿＿＿＿＿＿＿＿＿ ことは必ず起こる。 일어날 일은 반드시 일어난다.

5　地震に備えて各家庭で防災用品を ＿＿＿＿＿＿＿＿＿＿＿＿＿＿。
지진에 대비해 각 가정에서는 방재용품을 준비해야 합니다.

정답 ❶ 3 準備はいかがいたしましょうか　4 お荷物はいかがいたしましょうか　5 手土産はいかがいたしましょうか
❷ 3 届けるべきだ　4 起こるべき　5 準備するべきです

문제를 풀며 오늘 배운 표현을 완벽히 내 것으로 만드세요.

A | 애니메이션 속 대화를 완성해 보세요.

小宮　❶________________男です！　정말 한심한 남자로군요!

トン　二人目は坪根さん！　自宅で開かずの佃煮と格闘中、手首を
粉砕骨折して、戦線離脱！
두 번째는 쓰보네 씨! 집에서 열리지 않는 쓰쿠다니 병을 열려고 애쓰다가 손목뼈가 부러져서 전선에서 이탈하고 말았다!

小宮　佃煮禁止令を出すべきです！　쓰쿠다니 금지령을 내려야 합니다!

トン　三人目はカバ恵！　スパイ容疑で現在、某国当局が❷____________
____________！　세 번째는 가바에! 스파이 혐의로 현재 모국의 당국에 구속된 상태다!

小宮　私達の手に負えません！
以上、３人の❸__________________、残された者は❹____________
__________________、事に当たってください！
저희 힘으로는 감당이 안 됩니다! 이상, 세 사람 몫을 채워야 하니 남은 분들은 힘을 모아 일하세요!

トン　いいや、欠員は４人だ。　아니. 결원은 네 명이다.

小宮　は？　네?

トン　今のお前は❺__________________。邪魔にならんよう、お茶
汲みでもしとけ！　지금 너는 쓸모없다. 방해되지 않도록 차나 내와!

B | 다음 빈칸을 채워 문장을 완성해 보세요.

1 주문하신 상품을 댁 앞에 배달해 드릴 수 있는데, 어떻게 하시겠습니까?
ご注文の商品をお宅までお届けできますが、________________。

2 점장님, 손님으로부터 클레임이 들어왔는데, 대응을 어떻게 할까요?
店長、お客さまからクレームが入ってるんですが、________________。

3 싫으면 싫다고 확실히 말해야 합니다.
嫌なら嫌と、はっきり________________。

4 그는 환자에게 불치병이라는 걸 알려야 할지 망설이고 있다.
彼は、患者に不治の病であることを________________どうか迷っ
ている。

5 일어날 일은 반드시 일어난다.
________________ことは必ず起こる。

戻ってきた平穏な日常

다시 돌아온 평온한 일상

아름다운 봄날 같던 연애는 허무하게 지고 말았지만, 레츠코는 다시 마음을 다잡고 앞으로 나아가기로 마음먹습니다. 아무리 힘들고 괴로워도 조금 더 강해질 내일의 나를 위해서 말이죠. 다시 평온한 일상으로 돌아온 레츠코는 여전히 황돈의 직권 남용에 시달리고, 쓰보네와 고미야의 잔소리에 치이며, 쓰노다의 무임승차에 고통받는 나날을 보내게 됩니다. 쌓이고 쌓이는 직무 스트레스는 덤이겠지요!

 **워밍업! 오늘 배울 표현** 오늘 등장하는 표현들입니다. 어떤 표현이 들어가야 할지 생각해 보세요.

* 世界はいつだって、私たちの ＿＿＿＿＿＿＿＿＿＿＿＿ なんてなってくれない。
  삶이 언제나 우리가 생각한 대로 흘러가진 않습니다.

* 私たちは不満や思いを吐き出しながら、前に ＿＿＿＿＿＿＿＿＿＿。
  우리는 불만이나 여러 마음을 표출하면서 앞으로 나아갈 수밖에 없습니다.

* 資料 ＿＿＿＿＿＿＿＿＿＿＿＿！ 자료, 오래 기다리셨습니다!

烈子
레츠코

[世界はいつだって、私たちの思いどおりになんてなってくれない。❶ 人生は期待外れの連続で、誤解や擦れ違いだらけだけど、私たちは不満や思いを吐き出しながら、前に進むしかない。❷ 進み続ければ、昨日よりちょっとだけ強くなれるから。]

[삶이 언제나 우리가 생각한 대로 흘러가진 않습니다. 인생은 기대를 벗어나기만 하고, 오해와 엇갈림만이 가득합니다. 하지만 우리는 불만이나 여러 마음을 표출하면서 앞으로 나아갈 수밖에 없습니다. 계속 나아가다 보면 어제보다 조금 더 강해질 수 있을 테니까요.]

トン
황돈

腰掛け！　会議資料作っとけって言ったろ！　さっさと持ってこい！

단기 계약직! 회의 자료 준비해 두랬잖아! 당장 가져와!

烈子
레츠코

はーい！

네!

坪根
쓰보네

烈子さん、佃煮開けて。

레츠코 씨, 쓰쿠다니 뚜껑 좀 열어줘.

烈子
레츠코

はーい！

네!

坪根
쓰보네

ほーら、食べさせて！

자, 어서 먹여줘!

烈子
레츠코

はーい！

네!

小宮
고미야

烈子くん！　電話は３コール以内だと、あれほど……。

레츠코 씨! 전화는 벨이 세 번 울리기 전에 받으라고 그토록…….

烈子
레츠코

はーい！

네!

カバ恵
가바에

あのね、ここだけの話なんだけど、アレがコレして、ナニがコレして……ブワ～ッてなって……。

있지, 우리끼리니까 하는 말인데! 내가 이랬더니 그게 그렇게…… 됐지 뭐야…….

角田
쓰노다

先輩、これお願いしま～す。

선배, 이것 좀 해주세요.

烈子
레츠코

資料お待たせしました！❸

자료, 오래 기다리셨습니다!

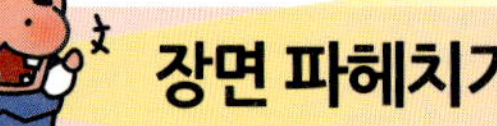

❶ 世界はいつだって、私たちの思いどおりになんてなってくれない。

삶이 언제나 우리가 생각한 대로 흘러가진 않습니다.

~通り(とおり, どおり)는 '~에 따라, ~와 같이'라는 뜻으로 예정이나 계획, 명령, 지시, 상상, 생각, 글자 등의 단어와 결합될 때가 많아요. 예를 들어, 約束どおり(약속대로), 思惑どおり(의도대로)라고 활용하지요. 다만 동사와 연결될 때는 とおり라고 읽고, 명사 뒤에서는 どおり로 읽어야 한다는 차이가 있습니다. 또한 명사와 쓸 때는 [명사+のとおり]라고 표현할 수도 있으므로 次のとおり(다음과 같이), レシピのとおり(레시피와 같이)라는 표현도 가능합니다.

★ 애니 속 패턴 익히기 1

❷ 私たちは不満や思いを吐き出しながら、前に進むしかない。

우리는 불만이나 여러 마음을 표출하면서 앞으로 나아갈 수밖에 없습니다.

[명사+しかない]는 '~밖에 없다'라는 뜻이고, [동사+しかない]는 '~할 수밖에 없다'라는 뜻입니다. '내키지 않지만 다른 방법이 없으므로 그렇게 하는 수밖에 없다'라는, 불만이나 아쉬움 등의 부정적인 감정을 드러낼 때 쓰는 경우가 많습니다. ~しかない 앞에 나오는 내용으로 한정하고, 그 외의 방법은 없음을 강조하는 뜻이지요. 한정한 내용이 무엇이냐에 따라 긍정적인 의미를 드러낼 때도 있습니다. 예를 들어 先生には感謝の気持ちしかないです(선생님께는 감사의 마음밖에 없습니다)처럼 말이지요.

★ 애니 속 패턴 익히기 2

❸ 資料お待たせしました！   자료, 오래 기다리셨습니다!

비즈니스 상황에서 특히나 많이 쓰이는 お待たせしました(오래 기다리셨습니다)라는 표현은 직접적인 사과의 말이 들어가 있지는 않지만, 의미로 봤을 때 상대방에게 사과의 의도를 가지는 존댓말입니다. 예정을 연기했을 때, 식당에서 손님에게 음식을 서빙할 때, 업무 메일 등에서 유용하게 사용할 수 있는 표현입니다. 혹은 お待たせいたしました와 같이 자신을 낮추고 상대를 높이는 겸양어를 쓸 수도 있어요. お待たせしました로도 충분히 경의를 표할 수 있지만, 더 정중함을 표현하고 싶다면 お待たせいたしました를 쓰는 것이 좋습니다.

* 大変お待たせして申し訳ありません。   오래 기다리시게 하여 정말 죄송합니다.

* お待たせいたしました。資料の準備が出来ましたのでお送りします。

기다리시게 하여 죄송합니다. 자료 준비가 다 되었으니 보내드리겠습니다.

오늘 배운 장면에서 뽑은 핵심 패턴으로 다양한 표현을 만들어보세요.

🎧 30-2.mp3

❶ 동사·명사 + 通り

〜에 따라, 〜와 같이

1 新商品開発の計画は、**予想どおり**順調に進んでいる。 신제품 개발 계획은 예상대로 순조롭게 진행되고 있다.

2 **天気予報どおり**大雪が降り始めた。 일기예보대로 눈이 많이 내리기 시작했다.

3 その老舗旅館は、＿＿＿＿＿＿＿＿＿＿＿素晴らしいところでした。
그 오래된 여관은 소문대로 멋진 곳이었습니다.

4 いま ＿＿＿＿＿＿＿＿＿に作業してください。 방금 설명한 대로 작업해 주세요.

5 彼は、私が ＿＿＿＿＿＿＿＿＿とても優しい人だった。
그는 내가 생각했던 대로 매우 다정한 사람이었다.

❷ 동사 + しかない

〜할 수밖에 없다, 〜이외의 방법은 없다

1 前も見えないくらいの豪雨だから、今日は家で**過ごすしかない**ね。
앞도 보이지 않을 정도의 호우 때문에 오늘은 집에서 지낼 수밖에 없겠네.

2 スマホが壊れてしまったので、新しいのを**買うしかなかった**。
스마트폰이 망가져서 새로운 것을 살 수밖에 없었다.

3 スープが冷めてしまったので、＿＿＿＿＿＿＿＿＿。
수프가 식어버려서 다시 데울 수밖에 없다.

4 この物質を分析するには、高価な機器を ＿＿＿＿＿＿＿＿＿。
이 물질을 분석하는 데는 고가의 기기를 사용할 수밖에 없을 것 같다.

5 遊びたいのはやまやまだけど、試験準備をしなきゃいけないから、今は

＿＿＿＿＿＿＿＿＿。
놀고 싶은 마음은 굴뚝같지만, 시험 준비를 해야 하니까 지금은 참을 수밖에 없다.

정답 ❶ 3 噂どおり 4 説明したとおり 5 思っていたとおり
❷ 3 温めなおすしかない 4 用いるしかなさそうだ 5 我慢するしかない

문제를 풀며 오늘 배운 표현을 완벽히 내 것으로 만드세요.

A | 애니메이션 속 대화를 완성해 보세요.

烈子　[世界はいつだって、私たちの思いどおりになんてなって
くれない。人生は ❶＿＿＿＿＿＿＿＿＿ の連続で、誤解や
❷＿＿＿＿＿＿＿＿＿ だけど、私たちは不満や思いを吐き出
しながら、前に進むしかない。❸＿＿＿＿＿＿＿＿＿、昨日
よりちょっとだけ強くなれるから。]

[삶이 언제나 우리가 생각한 대로 흘러가진 않습니다. 인생은 기대를 벗어나기만 하고, 오해와
엇갈림만이 가득합니다. 하지만 우리는 불만이나 여러 마음을 표출하면서 앞으로 나아갈 수밖에
없습니다. 계속 나아가다 보면 어제보다 조금 더 강해질 수 있을 테니까요.]

トン　腰掛け！　会議資料作っとけって言ったろ！
❹＿＿＿＿＿＿＿＿＿！　단기 계약직! 회의 자료 준비해 두랬잖아! 당장 가져와!

烈子　はーい！　네!

坪根　烈子さん、佃煮開けて。　레츠코 씨, 쓰쿠다니 뚜껑 좀 열어줘.

烈子　はーい！　네!

坪根　ほーら、食べさせて！　자, 어서 먹여줘!

烈子　はーい！　네!

小宮　烈子くん！　電話は３コール以内だと、❺＿＿＿＿＿＿＿＿＿
……。　레츠코 씨! 전화는 벨이 세 번 울리기 전에 받으라고 그토록…….

정답 A

❶ 期待外れ
❷ 擦れ違いだらけ
❸ 進み続ければ
❹ さっさと持って
こい
❺ あれほど

B | 다음 빈칸을 채워 문장을 완성해 보세요.

1　신제품 개발 계획은 예상대로 순조롭게 진행되고 있다.

新商品開発の計画は、＿＿＿＿＿＿＿＿＿順調に進んでいる。

2　일기예보대로 눈이 많이 내리기 시작했다.

＿＿＿＿＿＿＿＿＿大雪が降り始めた。

3　앞도 보이지 않을 정도의 호우 때문에 오늘은 집에서 지낼 수밖에 없겠네.

前も見えないくらいの豪雨だから、今日は家で＿＿＿＿＿＿＿＿＿。

4　스마트폰이 망가져서 새로운 것을 살 수밖에 없었다.

スマホが壊れてしまったので、新しいのを＿＿＿＿＿＿＿＿＿。

5　이 물질을 분석하는 데는 고가의 기기를 사용할 수밖에 없을 것 같다.

この物質を分析するには、高価な機器を＿＿＿＿＿＿＿＿＿。

정답 B

1　予想どおり
2　天気予報どおり
3　過ごすしかないね
4　買うしかなかった
5　用いるしかなさ
そうだ